力量从哪里来

面对 每一个不敢

李一诺 著

——著

中信出版集团｜北京

图书在版编目（CIP）数据

力量从哪里来：面对每一个不敢/李一诺著. --
北京：中信出版社，2021.12（2022.2重印）
ISBN 978-7-5217-3653-3

I.①力…　II.①李…　III.①成功心理—通俗读物
IV.① B848.4-49

中国版本图书馆 CIP 数据核字（2021）第 210964 号

力量从哪里来——面对每一个不敢
著者：　　李一诺
出版发行：中信出版集团股份有限公司
　　　（北京市朝阳区惠新东街甲 4 号富盛大厦 2 座　邮编　100029）
承印者：　河北鹏润印刷有限公司

开本：880mm×1230mm　1/32　　　印张：11.25　　字数：252 千字
版次：2021 年 12 月第 1 版　　　　印次：2022 年 2 月第 5 次印刷
书号：ISBN 978–7–5217–3653–3
定价：59.00 元

目　录

第三部分

职场进阶，从不敢不同到
光芒万丈……   **117**

第四部分

面对生活，从不敢臣服
到体验"无我"　　　　　　193

我和一诺

颜宁

美国普林斯顿大学雪莉·蒂尔曼讲席教授、
美国国家科学院外籍院士

　　25 年前，我和李一诺初识；大约 24 年前的现在，我们成了至交好友；7 年前的 7 月，我俩分别"情意绵绵"地在"奴隶社会"公众号上写下了《我和一诺》《我和颜宁这些年》，她写了上下两篇，而惫懒的我在写了上篇之后，一句"未完待续"，就此没了下文。严格说来，我倒不是真懒，而是我写文章完全靠乘兴而来的那股子美其名曰"灵感"的东西。过去几年，我逐渐沉迷于微博和微信，被短消息奴役，似乎已经丢掉了写长文的能力。当一诺请我为她的新书写推荐序时，我想起了那句"未完待续"，于是强迫症发作，如果不继续写，简直要寝食难安了。

　　可是一动笔，我陡然惊觉：我俩又这么久没见面了啊！虽然这是由于防控新冠肺炎疫情不能相聚，但就算在这之前，我们也不过平均每年碰一两次面。再仔细回忆，从 2000 年之后，我俩一直就是这样，平均下来，一年连一次见面都没有。可是，即便再久不联络，一旦接通电话，我们就会立即叽叽喳喳，将各自的想法完全不经过滤地一股脑儿倾倒给对方。我有时会觉得，我之所以从未觉得孤单，就是因为有像一诺这样的几位好友在，能让我在享受自由的同时，精神上始终有知己相伴。

从上次写文的 2014 年到现在，大到世界，小到我们两个个体，都有了出乎意料的变化。2014 年的我并不知道一年之后，母校普林斯顿大学会向我伸出橄榄枝，而两年之后横空出世的一土学校彼时还未出现在一诺的人生规划里。

2014 年的世界是扁平的，满世界打"飞的"的人甚至会憧憬太空旅行，却难以想象有朝一日国际旅行会变得困难重重。

2014 年，没有人会想到，将有一届夏季奥运会竟然要推迟一年举办，还不能有观众在场……

可是这种种意料之外不正是人生、世界的常态吗？每个人的人生也正是在与不断变化的世界的相互作用中写就的。

但是变化之外又有一些东西不会改变。比如，一诺的很多经历、所思所想，连我也需要从她的文章里去了解。可是展卷阅读之后，我又发现其实什么都没有错过：这还是那个宛如一直近在身边的一诺，是骨子里什么也没变、时空没办法重塑的一个灵魂。

我的生日比一诺小 10 天，我们都已 40 多岁，是我定义里的"而立之年"——因为面对一直发展变化的世界，谁敢随便说"不惑"啊。世界这么大，人生这么短暂，想想就觉得个体真是渺小。但就是因为对世界充满困惑，我们才被推动着不断去闯荡、去探索。我在之前的文章里提过一个大概的意思，就是朋友可以拓宽彼此的人生。比如我这个单身主义者，会从一诺这里知道很多职场妈妈的压力与幸福；我这个象牙塔里的常住居民，会从阿耐的小说和一诺的经历里领略职场风云、社会百态；在公共空间曝光太久的我反而写不出这样的一本书，事无巨细地与大家分享自己的经历和感悟……

阅读朋友的经历是一次不用冒险的人生复刻，但同时我也忍不住想：如果不是一诺，我会读一个陌生人写的这样一本书吗？大概率是不会。因为我太渴望一个独一无二的人生，这种渴望已经为我带来了一种傲慢，傲慢到不想借鉴别人的一点儿人生经验，不想聆听别人的一点儿人生教诲。"己所不欲，勿施于人"，那我为什么还要为这本书写推荐序呢？因为我并不认为自己的想法就是对的啊；因为有很多人恰恰想获得这样的信息啊；因为有这样一个披荆斩棘一路走来的人愿意把心里话一个字一个字地写出来，不是灌输，也不是说教，而是帮助读者叩问内心，这是多么难得的一件事情啊！是的，"叩问内心"。如果你在读这本书的时候不是为了向一位身贴各种闪光标签的成功者取经，而是在反思自己、发现自我，那么我就会觉得这篇推荐序写得格外有意义。

我于 1977 年出生，大学住在 117 宿舍，2007 年回清华大学任职，2017 年回普林斯顿大学执教——原来我对 7 有下意识的执念。2014 年与 2021 年，我分别写了《我和一诺》的上篇与中篇，那么你猜，下篇将会出现在哪一年？

理想是有力量的，是会放光的

陈行甲
曾获"全国优秀县委书记"称号，现全职公益人

一诺的新书出版了，我是一定要来支持的。

我比较外向，愿意交朋友，甚至说得上渴望交朋友，特别是那种可以交心的朋友。每每遇到这样的朋友，我都会像捡到了宝，快乐好多天。在我五十年的人生中，有不少好朋友，他们是我人生路上的风景，是照亮我前行路途的光，有不少朋友甚至成了支撑我在人生的山谷中摸索前行的力量。一诺就是这样的朋友，是我的朋友中非常特别的一个。

一诺的特别，在于她身上巨大的对比反差。她是世俗意义上绝对的牛人：清华大学学士、加州大学洛杉矶分校博士，曾任麦肯锡公司全球董事合伙人、盖茨基金会中国办公室首席代表，是公众号"奴隶社会"和创新教育机构一土学校的联合创始人……随便哪一项摆出来，都让人不得不服。

但是，与一诺相识相交的这些年，我有一个结论性的认识，就是从一诺的身上完全看不到哪怕是一丁点儿的"端着"，她跟世俗想象中牛人可能有的骄傲、傲慢、自得等性格副产品完全不沾边儿。这是一个灵魂深处打开的人，是那种充盈了水就不会晃荡的满罐子。只要你

见到她，她骨子里的真诚、她火一样的热情，会在最短的时间里让你忘记她竟是一个这么牛的人。投身公益这些年，一诺帮了我太多：她和她的先生华章是我的"2.0 公益思路"最早的参谋；我的公益好伙伴正琛、治中，都是一诺介绍认识的；她是我其他很多公益合作资源的联结者。

一诺的特别，还在于她异于常人的勇敢。她看准了，想好了，就去做，全身心地投入，有一种一往无前的劲儿，真的是无问西东。她在麦肯锡十年，从初入门的菜鸟做到全球董事合伙人，财富和名望如日中天，她说放弃就放弃了，在世人惊异的目光中转而投身公益领域；回国后，孩子到了上学年龄，她找了几所学校都觉得不太理想，怎么办？那就自己办一所学校！按照"根植中国，拥抱世界"的教育理想，她不仅培养一土学校的孩子，还为社会做了创新探索……"奴隶社会"创办五周年的时候，我们有一些"诺友"在北京相聚，大家谈起一诺，共同感慨她"轰轰隆隆"的执行力。之所以用"轰轰隆隆"这个词，是因为我们实在想不到更合适的词了。有好几个老友说已经从最初旁观一诺不走寻常路的目瞪口呆，慢慢变得习以为常，说一诺无论干了啥出乎意料的事儿，大家都不会太意外了。在她瘦弱的身体里，住着一颗强大的内心，流淌着一汪清澈的生命之泉，所以她重要的人生选择都忠于内心，忠于理想，只分对错，不管成败。

2021 年，一诺又开启了她的人生新阶段，她离任了做了近六年的盖茨基金会中国办公室首席代表之位。接下来不知道一诺会干啥，但是我知道一定有一段新的精彩旅程在等着她。这不，没多久，这本讲述她这些年面对一个个"不敢"，一路过关斩将、向光而行的书就出版了。

在这本书里，我惊喜地看到了一诺很多"不那么坚强，却备感亲切"的另一面。原来她在面临一些人生重要关卡时也会恐惧、犹豫；在刚进入高手如林的麦肯锡时也会紧张、自卑；在坚持做一些对的事却面临重重阻碍时，心里也打过退堂鼓；在面对一些不公正的对待时，也会感到委屈与愤懑。她在书里如此真实、坦诚，就像我们身边能随时诉衷肠且惺惺相惜的知心好友。

一诺还在书中分享了很多小时候的事，有苦有乐，既提到了她充满智慧且勇敢的姥姥与母亲，也提到了我的母亲。她在文中说我们的母亲就像温暖的火柴的光，照亮了我们的童年和那片山村。而我想说，品读一诺用亲身经历和心血汇成的这本书，就像看到了一把熊熊燃烧的火炬，它能一扫迷茫与黑暗，带来希望与勇气。

五年前我从巴东离任时，是通过一诺的"奴隶社会"发出去的告别信。当时有一个老同事给我的临别赠言是："我不知道你要去哪里，要去干什么，但是，无论你将来做什么，你一定要好好的。你只有过得好，才会让这么多崇敬你的人看到光明和希望。"这句话曾经激励了我很久。一诺这次的离开和我当初是一样的，也是不一样的，所以我把这番话改一下送给她。

一诺，我不知道你接下来要干什么，但是，无论你干什么，我都相信你会干成，都相信你会过得好。你只有过得好，才会让这么多喜欢你的人看到，理想是有力量的，是会放光的。我相信了解一诺的朋友，还有看完这本书后的朋友，都会有和我一样的感受。

推荐序三

为"不得不敢"而喝彩

邢军 [1]
美国大型口腔公司全球高级副总裁兼大中华区总裁

接到一诺为她新书写推荐序的邀请，是周日的早上。我改变原来的爬山计划，拿出三个半小时，一气呵成读完了她的书稿，由此激发了许多思想共振。然后，本着我俩共同认可的理念"此时此刻就是最好的时间"，我当即提笔，开始写这篇推荐序。

我和一诺有不少共同点。她生于济南，我长于青岛，我俩都有着山东的血脉；她是仨娃的妈，我是俩儿的娘；我俩都是人比黄花瘦，说话比子弹还快，时刻都在奔跑，是世俗眼光中男人和女人之外的名曰"女博士"的第三种人。

一诺是我的非典型铁杆闺密。说"非典型"，是因为我们一共没见过多少次面，却彼此欣赏，属于依赖空中电波紧密连接的精神型"伴侣"；说"铁杆"，那是因为在西方标准中，铁杆朋友的黄金标准是知道对方的收入，而我们达标。

我和一诺之所以能够多年维持这种铁杆闺密的关系，还有一个重

---

① 邢军，美国大型口腔公司全球高级副总裁兼大中华区总裁，美国大型食品集团的全球董事会成员。是一位能说会写、粉丝众多的生物学博士。笃信"勤奋自律者无敌"。"奴隶社会"公众号"职场邢动力"特邀专栏作者。

要原因，就是我们有着太多共同的职场经历。我们都在大洋两岸的中美职场不遗余力地奋斗，我们共同感受过玻璃天花板真实存在的痛，我们共同品尝过凭实力做到外企全球高管职位的快乐。这种互相懂得使我们无论在何时何地，都能无条件地互相帮助，互相托底，互相成全。

一诺和她的先生华章创办的公众号"奴隶社会"一直是公众号界的精品。2017年圣诞节前夕，我应一诺之邀，开始每周二在"奴隶社会"发表一篇三四千字的"职场邢动力"专栏文章，分享职业发展、管理理念、领导力等诸多职场心得，一直坚持了六十周，从来没有爽过约。其中有十几篇文章的阅读量超过十万，成为爆款文，我也因此结识了很多志同道合的朋友。

那期间，我的小儿子与重疾顽强搏斗了一年多。我都不知道我是怎么坚持写那些文章的。现在回想，这种坚持在很大程度上来自对一诺这位挚友的郑重承诺和高度负责。这算是惺惺相惜的力量吧。

这几年，不论是在社交媒体上还是影视作品中，"她力量"和"大女主"文化都在崛起，看到女性越来越自强、有力量、有话语权，我由衷地高兴。然而，我一直有个遗憾：真正掀起全民阅读热潮的职场女性励志书，好像大多是从国外引进并翻译的，比如谢丽尔·桑德伯格的《向前一步》，以及米歇尔·奥巴马的《成为》。我一直在想，我们什么时候能拥有一个真正意义上的"中国出口，立足世界"的职场杰出女性的代表作呢？一诺的作品填补了这个空白。在我的心目中，中国女性励志的代表人物，一诺当之无愧。

读一诺的书，我第一个最直接的感受就是：不端不装，敢于承认"不敢"。追随着她的文字，我仿佛看到了那个曾经多次"不敢"的黄毛丫头，逼自己撤掉后路，一次次跨越从"不敢"到"不得不敢"的心理障碍。

从刚踏上美国土地时的不敢开口讲英文，到初做领导时的不敢接重任，再到后来做高层时的不敢认尿；从开始时为了追求职场进阶而不敢生孩子，到一连生了仨，再到在更高的层级上遭遇新的困惑，不敢放弃顶尖的位置，又到后来从事"不被看好却依然心驰神往"的慈善事业，放眼完全不同的世界；从对教育一窍不通的"不敢"到纵身一跃而全情投入创建一土学校。我眼中的一诺一路走来，浑身洋溢着勇敢的光芒。我曾经和她说："在你身上，无论我有多少种想象，你都能超出我的想象极限，迸发更多种可能。"这是我对一诺这位挚友的最高评价。

读一诺的书，如心头流过一股清流，没有口号，没有说教，句句大实话。她分享自己作为职业女性，家庭、事业两手抓的无助和狼狈；她晒自己打起精神"强行营业"的疲惫和至暗时刻……林林总总的生活片段，包括一地鸡毛，是那么真实，那么让人有代入感。神奇的是，与此同时，我们又能从字里行间看到她的激情、她的执着、她的追求、她的力量。这种力量是一种巨大的能量，具有引人入胜的独特功效，让人不忍释卷，把整份书稿一口气读完。

行文至此，我想起了苹果公司零售业务高级副总裁、时尚巨头公司博柏利前CEO（首席执行官）安吉拉·阿伦茨在TED演讲中说过的一段话："能量，源自激情和热爱，这种能量会在呼吸间自然流露，汩汩而出。这是一种源自信念和追求的萦绕全身的气质。"

看这段话的时候，我想到了一诺。

但这句话对我们每个人都适用，我想这也是一诺这本书的价值——让每个人找到自己的激情、热爱和能量之所在。

如果这样一直追寻，你会成为谁？

古典
《拆掉思维里的墙》作者、职业发展咨询师

01

1891 年，爱因斯坦 12 岁。

他突然想：如果我一直以光的速度奔跑，我会看见什么？

这个问题，将引领他一生。

2000 年，李一诺 23 岁。

她拖着箱子站在洛杉矶的机场出口，看着这个陌生世界，问自己：

如果我按照自己的心愿一直奔跑，我会成为谁？

23 岁的一诺开始追寻，一直跑到 2021 年，她 44 岁。

在这本书里，她讲述了自己留学、到麦肯锡工作、成为妈妈、进入盖茨基金会（即比尔及梅琳达·盖茨基金会）、开创"奴隶社会"、建立一土学校的经历。不过这可不是一本励志书，里面没有一个个荣光时刻和励志金句，有的只是真实有趣的各种社会的真相，还有自己的胆战心惊、连滚带爬、焦头烂额，以及面对这些不堪的每一个"不敢"和内心升腾的"力量"。

02

力量从哪里来？

一开始是"不敢不优秀"。

博士毕业后加入麦肯锡，"好学生"却频频被打脸。她讲述自己在每个阶段撞过的墙、走过的坑。从初期的"爱挑毛病，不敢主驾"到中期的"找不到价值，不敢建造"，再到高层的"不会提问，不敢敞开"。一诺在书里告诉你，自己如何一步步完成做事、建造、教练和激发的阶段，如何找到自己职业的隐线。

然后是"不敢生娃"。

作为生涯规划师，我深深知道，生娃是女性职业发展的重要障碍——从娃出生到 6 岁上完幼儿园，相当于一个 6 年的创业项目。家里做着一个项目，公司的同事还希望你持续给力。很多人会因此灰头土脸，败下阵来。

一诺一开始也不想生孩子，她觉得这个世界已经足够糟糕，没必要让孩子们来。两个朋友的故事打动了她。一个人说，"有了孩子，你才觉得真正有了自己的家"；另一个人说，"也许你的孩子就能改变这个世界"。她开始生娃，一生就是 3 个，这 4 年里，她在麦肯锡升到了合伙人。

怎么做到的？

还不是各种焦头烂额。我最喜欢的部分，是她说自己关于孩子的期待，一开始指导思想是"希望孩子成为对社会有用的人"，慢慢觉得，怀里这哇哇大叫的一团肉距离这个目标太遥远了。一番折腾以后，最后认定的标准是"不生病，不犯罪，不自杀，能自食其力、快乐生活"。而最后，在自己学了这么多的无穷复杂的育儿宇宙里，似乎只留下两个抓手：

健康的身体，家庭成员间亲密幸福的关系。

之后是"不敢不同"和"不敢做梦"。

如果你在一个领域待了10年，爬到顶峰，前景大好，有着最好的生活保障，这时，你接到来自另一个陌生领域的邀请，很有价值，但收益降低、安全不保，要重新带着全家去新的国家，你会去吗？

入职麦肯锡10年，做到董事合伙人的一诺，遇到了一个邀请——比尔·盖茨邀请她出任盖茨基金会中国办公室首席代表。

一诺的纠结一点儿都不高级，她放不下的是一份"全球最好的医疗保险"，保险背后，是深深的恐惧。这种纠结和一个30多岁不得志的公务员不敢离开体制一样。

她摇摆了几个月，自问："敢不敢放下自己的安全感？"

她有了自己的决定。

之后，这个问题又一次跳出来："敢不敢在没有平台的地方，独自做点儿事？"这次似乎少了很多纠结，于是有了一土学校。

在书的后面（也是我最喜欢的部分），她谈到了"不敢无我"。在我看来，那或许是"不敢死去"。

一诺在里面谈到了如何面对生活的烦恼，面对自己的无力感，面对"觉得自己不完美"的救赎，面对机会和欲望，以及面对时间流逝。一诺还谈到了自己的源头，谈到自己的姥姥，谈到八个月学成德语、一辈子乐观拼搏的妈妈。一个人知道从哪里来，才知道要往哪里去。

我想，她也谈了点儿去处，一个人和自己完全合一，活在每一刻里，能坦然面对"如果生命还有六个月，你会怎么生活？"的问题。

如果这样一直追寻，我会成为谁？

23 岁的一诺的问题，到现在似乎已经有了答案。

她成了她自己。

03

我用了 4 个小时一口气从头到尾读完这本书。

这就是一个人 21 年的人生经历——不端不装，真实有趣。

正如我一个朋友说的——看到一诺也这么纠结，我就安心了——原来每个人都要面对自己的恐惧，都有一次次的"不敢"，然后盯着这个"不敢"的脸，闯过去。

这才是这本书的价值吧。没有什么能通向真诚，除了真诚本身。

这本书里没有心理学概念，没有概率公式，更没谈风口和红利。

因为每个人都是自己的心理学家，每个人都要活出 100% 独特的自己，每个人都活在每个当下里。

那你呢？

如果这样一直追寻，你又会成为谁？

一诺给出的答案，其实一点儿也不重要。

重要的是你面前的这个"不敢"和你找到的自己背后的力量。

推荐每一个心里有光却面临"不敢"的人看这本书。

里面有你自己的智慧和勇气。

那许多"不敢"

你好，我是李一诺。感谢你翻开这本书。

这本书也许你只是随意翻看，也许是特地买来看的，也许是朋友赠予的，但不管怎样，你在此时此刻翻开这本书，并非偶然。

为什么并非偶然，等你看到最后，就会有答案。我很高兴和你一起踏上这段与答案相遇的旅程。

很多朋友知道我，是因为我的一些外在标签：清华大学学士、美国加州大学洛杉矶分校博士、曾经的麦肯锡公司全球董事合伙人、盖茨基金会中国办公室首席代表、"奴隶社会"公众号和一土教育① 的联合创始人，有马甲线的三个孩子的妈妈，等等。

此刻的你也有许多外在标签，它们来自社会的评估体系。用好标签，有时候可以提高我们认知事物的效率。但是人何其复杂？外在可见的只是皮毛。

每个真实的人都远远不是这些标签可以定义的。

今天我们能因这本书相遇，是借由了这些标签。但我想让你能真正看进心里，能和我一起经历这趟寻找人生力量之旅的，不是性别、

---

① 一土教育包括一土学校、一土空间（"一土"旗下的课外教育和户外探索中心）、一土线上的全村社区等相关教育项目，它们有着同样的教育理念，面向不同阶段的有教育需求的人群，在书中泛指时，统一简称为"一土"。

学历、职业、成就等表象，而是我们内心深处的那些情感共鸣，那些不间断的自我怀疑和恐惧，那些在自我怀疑的空隙里对人生价值与意义的渴求，那些在孤独中发出的对生命和世界的追问。

从"不敢"到发光

写这本书的时候，我已经开始工作 16 年，其中运营公众号 7 年，做妈妈也有 11 年了。

说实话，这一路走来的过程不是由一个个奇迹故事串起来的，恰恰相反，是从一个个"不敢"中跌跌撞撞而来的。

每一个"不敢"在当时都理由充分、天经地义。但陷在那些天经地义里时，我却看不到出路。

最终，每一次走出"不敢"，都是因生活的推动，从"不敢"到不得不转身面对困境，不得不"敢"。

这些年我收到过很多朋友发来的人生追问，这些问题各式各样，大多关于人生的困境以及随之而来的无力感，譬如：

> → 我是大学生，很快要毕业了，但是感觉对未来很迷茫。周围人似乎都很厉害，而我无比"菜"，面对未来不知道该如何选择。我该怎么办？
>
> → 我是个 24 岁的女性，临近硕士毕业，工作很难找，内卷严重。我到底该读博、考公务员，还是进企业工作，或是出国留学？
>
> → 我 28 岁了，觉得事业还没起色，每天就已经很忙、很累了，做的很多事好像无意义，内心又找不到奋斗的方向。我的出路在哪里？

→ 我是个34岁的职场妈妈，有两个孩子，现在教育领域纷繁复杂，散发着焦虑，社会竞争激烈，时间永远不够用。我到底要怎么处理这一切？

→ 我离婚了，觉得自己很失败。如果说外界关系都是内心的投射，是不是说明我本身就很失败？我还能有幸福吗？

如果你也在这些问题中看到了自己，我想说：

这些问题，不仅你有，大家有，我也有；以前有，今天有，以后也会有。

我们每个人面对的各种人生难题看似不同，但背后其实有共性。如果刨根问底，就会发现问题的底层总是我们无法面对的某种恐惧。

我们遇到困难的第一反应常常不是直面，而是逃避或者求助，几乎有一个固定句式：

这是我的情况。这么难，你说我该怎么办？

其实，我给不了你答案，也没有人可以给你答案。一个看似残酷的真相是，人生所有的难题最终都要自己去面对和处理。说看似残酷，是因为一旦你开始面对，就会发现以前不曾了解的新大陆。

如何面对这些难题其实是有方法的。比如，你可以问自己几个问题：

→ 面对这个选择，我到底在害怕什么？

→ 我害怕的这件事，为什么对我重要？真的有这么重要吗？

→ 如果没那么重要，那真正重要的是什么？我更深层的恐惧是什么？

→ 这件让我恐惧的事，是真实存在的吗？

这些问题似乎没有直接回答你的问题，然而经由这些问题，我们才会慢慢接近困境的本质，而所有困境的本质，都是我们内心底层的某种恐惧和不自洽。

从错位到自洽，正是通往真正的人生幸福的道路。

走这条路需要的是一遍一遍地"**面对它，接受它，处理它，放下它**"。这是圣严法师的十二字箴言。

这条路，便是通往光的路径。

做自己的太阳

有一次读者线下聚会，一位读者朋友对我说："一诺，你就像我们的太阳，任何问题到了你这里，似乎都可以迎刃而解。"我听了心里咯噔一下。一方面，我觉得这似乎是极其重大的信任；另一方面，我觉得有问题。因为我们每个人生命里真正的太阳不应该是别人，而应该是我们自己。这不是说我们不可以从别人的身上收获力量和勇气，而是**这些力量最终要变成我们自己的光和亮，才能照亮我们自己的人生路。**

这些年，我们经常看到各种媒体报道人生赢家，也有人说我符合人生赢家的一些定义。

但人生赢家本身就是个伪命题。

赢谁呢？如果向外求，那你永远不会赢。

我们需要的是找到和发挥自己的心力。当能够面对内心恐惧的时候，你就会发现自己坐在一座大金矿上，这里面有光，有热，有无限的包容和能量。你也会意识到，原来自己如此富有。让更多人意识到这一点，大概就是我这些年运营公众号、写文章、做教育的初衷吧。

所以，本书虽然是讲我个人从"不敢"到"敢"的故事，但我希望你能在这些并不光鲜的突破历程里，看到你自己。

那个坐在金矿上，可以成为太阳、照亮世界的你自己。

没有计划的"改变"

2020 年年初，我带着孩子们去美国，本来计划是住一个月，其间工作两周，然后回北京。

可是，新冠肺炎疫情暴发，回国航班取消，疫情在全球蔓延。我们的生活因此发生了改变。那段时间我在美国生活，要照顾孩子，还要在线上工作，很忙乱。但其间给我印象最深的，其实是两个并不认识，也永远不会认识的人。

第一个人是在 2020 年复活节遇到的。那时候美国刚刚开始应对疫情，大家开始戴口罩，保持社交距离，商店关门，大型活动取消。复活节那个周日早上，我和妈妈、孩子们走路去附近一家小超市买东西。街上冷冷清清的，一转弯，我们看到路边有一个穿兔子衣服的人表演着各种夸张的动作，格外引人注目。路上没有多少车，但是每一辆路过的车都开始放慢速度，有孩子打开车窗朝着兔子人欢叫、招手；一些车开过去又开回来，车窗一直开着，让孩子可以一遍一遍地看到兔子人。我的孩子们当然也特别激动，上前跟兔子人打招呼。他戴的兔子头套是咧着嘴笑的样子，这个夸张的欢喜笑容陪了我们一路。

这个兔子人让我特别感动。他应该就是住在附近的一个爸爸，穿上道具衣服，一个人站在街头，让素不相识的孩子们高兴。没有人知道他是谁，他也不在乎别人知不知道，在大家都感到紧张、害怕的疫情里，他用这种方式为并不相识的路人和孩子们带来了出乎意料的欢乐。

第二个人是在 2020 年年末。圣诞节将至，我去 Dollar Tree（一元店）买过节的装饰品。排队结账的时候，我看到收银员旁边一直站着一位老先生，他戴着圣诞节标志性的红帽子和应景的红口罩。

等到我结账的时候，收银员声音比较大地说了一下总金额：20 美元。我正准备刷信用卡，还琢磨为什么收银员说这么大声，就见那位老先生拿着一沓钞票，数出来 20 美元给收银员。我这才知道他以这种方式给所有过节的人送礼物。我觉得很不好意思，说我来付吧，他坚持自己付，说："This is my way of celebrating. Happy Holidays!"（"这是我庆祝的方式。祝你节日快乐！"）

问过收银员，我才知道，他从早上就一直在这里了。我走出商店门，心里特别感动，回头看他的背影，只看到露在红帽子外的白发。我不知道他是谁，也永远不会知道，但是这份节日里的善意，让我久久不能忘怀。

2020 年的圣诞节，恰是我即将正式离开盖茨基金会的时候。结束基金会的工作，下一步做什么，我还没有确定。

2020 年以及之前，我都有很明确的职业标签，博士也好，麦肯锡公司全球董事合伙人也好，盖茨基金会中国办公室首席代表也好，每个能发工资的工作都是一段人生履历，在简历上可以写得清清楚楚。

进入 2021 年，我就只是我了。

我是谁？

这是我们一生都在问的问题。

那两个素不相识的人似乎在提示我寻找答案。

在社会意义上，我永远不会知道他们是谁，叫什么名字，有什么学历，做什么工作，赚多少钱。

但是他们都给了我感动和力量，因为他们有超越社会标签的善意行为。行为目的很纯粹，仅仅是给他人带来快乐。

我想，其实对每个人来说都一样，最终让我们在这个世界留下痕迹的，是对世界的善意和行动，不管我们姓甚名谁。

于是在 2021 年，我有了难得的奢侈，可以回顾人生这些年，汇成这本书。

在这本书里，我想分享我的来路和内心的旅程。

这趟旅程，是从面对一个个"不敢"、一个个"不会"开始的：职场起步，不敢开口，不敢成功，不会当领导；人到中年，不敢要孩子，不会教育孩子，生活、工作无法平衡；职场成熟期，不敢不同，不敢离开，不敢做梦，不敢想"大问题"；面对生活，不敢"臣服"，不会面对自己的情绪，不能和时间做朋友；面对自我，不知道"我是谁"，因而不敢"不完美"。

现在回看，这些年生活和工作中各种外在发生的事可以串起一条线，这条线就是在转身面对这一次次"不敢"后，看到光，得到力量的旅程。

虽然我讲的是自己的经历，但是我相信这些内心的"不敢"有普遍的共性。你一定可以从中看到自己，也一定可以像我一样去面对，找到自己的光和力量，照亮人生路。

这条向光之路，和你一样，我也远远没有走完。

但是请你相信，一旦开始，向光前进，就会越走越勇敢，越走越光明。

对我们很多人来说，真正长大成人是从离开象牙塔开始。从那时起，我们走出校园，走入社会，进入职场。

很多朋友知道我，也是从我的职场标签开始的。

我于 2000 年本科毕业，到现在已经 20 多年了。回顾这 20 多年的经历，用宏观叙事总结起来，似乎只有几个阶段。但其实散落在这宏观叙事里那些看上去不起眼的瞬间，那些看上去不那么重要的人，有的人在一些时间点对我说过的话，都对我产生了深远的影响。

回顾这些年的经历，并非一段被网络文章总结的励志之旅，**恰恰相反，是由一个一个的"不敢"、一次一次的退堂鼓、一次一次的"不得不"、一次一次的"我怎么这么差"串起来的。**

所以，让我从职场经历中的"不敢"讲起，开启我们的旅程吧。

第一部分

初入职场，
从不敢发声到敢于建造

第1章
异国他乡，不敢开口

这段经历，如果用一个词来总结，
那就是战战兢兢。

学了 N 年英文，还是听不懂的落差感

我本科毕业后，并没有"走向社会"，而是拿到了奖学金去美国攻读博士学位。虽然仍是校园环境，但只身一人前往异国他乡，目之所及是完全不同的环境，这个改变带来的冲击，可以说比"走向社会"还大。和那时候的很多留学生一样，我是一个人带着满满两个大箱子飞到美国的，大箱子里是全部家当——包括一把中国菜刀。

我在国内的时候英语一直很不错，考试成绩优秀，GRE Verbal① 更是考了 750 的高分（满分为 800），所以对自己的英语能力很有信心。但实际情况是到美国的第一个月，怎么什么都听不懂?! 看着别人张嘴发出声音，就是不知道对方在说什么，只觉得他们的语速飞快。我偶尔能听懂一两个单词，但是对方整句说下来，我就完全不知所云了。当时的那种震惊感到现在还记忆犹新。

听不懂，自然就不敢开口说话。所以回想那一个月，是很沉默的一个月。

后来，针对这段经历，我和我的博士生导师聊天。他是 20 世纪 80 年代初到美国的留学生。当年他们先到旧金山住两天，然后转机去美国其他地方。他住在旧金山的宾馆里的第一天完全不敢出门，就那么从宾馆的窗子里看外面陌生的国家和城市，从日出到日落，看了一整天。

第二天，他终于鼓起勇气，拿上房间钥匙，出去在城市里转了一圈。

和我讲这些的时候，他已经是终身教授，事业有成，但回忆

---

① GRE 为美国研究生入学考试，其中一类题目属于 Verbal（语言、词汇）板块。——编者注

当年到美国后的第一天，仍然和当时的我产生了很强的共鸣。

话说回来，我当时不仅不能开口，也看不懂。学校里有餐厅，餐厅的菜单挂在墙上，我完全看不懂上面写的是什么。特别是加州有很多墨西哥食品，用的是西班牙语的名字，我更看不懂了。点餐只能靠看图，告诉别人序号和数量。取到餐之后，才开始辨认盘子里的食品。去超市也是同样的感觉，很多东西没见过，看了标签还是不知道那都是什么。

这样的状态至少持续了半年，我才慢慢重新"学会"英语。

所以，我在读博期间每年做学校志愿迎新的工作，先要做的就是宽慰新生"这是正常现象"，以及应该怎样重新"学"英语。包括后来做"奴隶社会"公众号提出的"不端不装，有趣有梦"这八个字，也是那时候种下的种子：既然听不懂，就不要炫耀自己英文优秀了。遇到新情况，自己不行就承认不行，从零开始好好学。

我用4年读完博士研究生，毕业的时候，实验室的博士后研究生帮我预演答辩。其中几位美国人听完都说：一诺，你的英语怎么讲得比我们都快，慢一点儿，慢一点儿！说完大家一起哈哈大笑。所以英文这道坎，我真的算是过去了。

初出国门的语言障碍似乎不是大事，你也许会说，所有出国的人不都是这么过来的吗？但人生的挑战就是这样的，外人看上去不起眼的事，对自己来说很可能是一道大坎。更多时候，这对别人来说可能也是一道大坎，只不过你不知道。所以成长的第一步，就是诚实面对自己感受到的困难，不管别人怎么看，对自己来说如果是挑战，就从接受自己的"不会""不能""不行"开始，不要试图装作云淡风轻。一旦我们直面问题，应对挑战就不难。有方向、有努力，战胜困难就只是时间的问题。所以，诚实是面对困境的真正"捷径"。

初入职场，一个"我不属于这里"的地方

2004年秋，博士答辩结束。经过几轮面试，我拿到了麦肯锡公司洛杉矶办公室的录用通知，很兴奋。

记得最终一轮的面试官是洛杉矶办公室的三位资深董事合伙人和一位副董事，他们分别面试我，总共四个多小时。我的先生申华章开车送我去，在大堂里等我面试。面试完，开车去吃午饭的路上，我就接到了电话。我还记得当时华章听到我在接的是麦肯锡的电话，马上把车停在路边，知道是好消息的那一刻，我们兴奋地拥抱在一起。

2005年夏，我入职麦肯锡。从博士毕业短暂的放松和欣喜到适应全新环境，我又开始紧张了。

入职后的大半年里，如果用一个词来总结，那就是战战兢兢。

我后来回顾这段时间，之所以如此不适应，是因为我在同时跨越三道鸿沟。

鸿沟一，从科研到商界，我格格不入。我从一个每天穿着随便、泡实验室，周围都是穷研究生和瓶瓶罐罐的环境，转场到每天西装革履，商业词汇铺天盖地的写字楼和会议室，很不适应，觉得自己根本不属于这里。

鸿沟二，语言和文化差异。虽然我读了博士，也在美国待了几年，但是每天在实验室和学术圈，离美国社会还是差着十万八千里。我每说一个词都得想想发音是不是标准。同事们讨论美国最流行的体育赛事——棒球和橄榄球——我却完全没概念。同事们说的很多笑话我都听不懂，还得勉强跟着笑。

鸿沟三，大家的成长背景非常不同。这道鸿沟更隐蔽一些，

但却是更深层的。和我年纪相仿的美国同事们，3岁就和父母滑雪，小时候就有过周游世界的经历。而我是典型的在中国长大的70后，小时候的记忆是拿粮票打酱油、冬天家里的蜂窝煤炉子和脚上的冻疮。

我到美国之后，才真正开始了解美国的历史，知道西方世界在20世纪六七十年代的文化解放和反思。所以，虽然我们年龄相仿，但其实是不同时代的人，对很多生活经历是没有共鸣的。

————————

因为这三道鸿沟，我刚进麦肯锡工作时真是很不适应，又回到了"哑巴"的状态。

有出路吗？其实还是那条路，从最基础的事情开始。做PPT（演示文稿）、列Excel（电子表格）、写工作邮件、做会议记录。自己水平不行，就付出200%的努力。

2005年左右美国的企业工作文化里，留voicemail（语音信箱）的做法非常普遍。每天工作后给领导的汇报工作，给客户的工作进展报告等都通过语音留言。每次留完言，都可以先听一遍，觉得不满意就可以删掉重新录。记得那时候看我的美国经理留语音，真是行云流水，几分钟的语音，结构完整、清晰，用词恰当，有工作进展的整理总结，还有清晰的下一步计划，让人感觉无比惊艳。但到自己留语音时，磕磕巴巴，不知所云。那时候我为了能留一条还算满意的语音留言，反复录五遍、十遍，是家常便饭。

但慢慢地，因为努力付出，我的语音留言有了改善，邮件会写了，PPT 和 Excel 也开始做得有模有样。那时候公司在内网上有各种培训的视频，几乎所有相关的课程我都上了一遍，很多周末的时间都搭进去了。但我对公司非常感恩，因为只要你愿意，很多方面都有资料供你从零学起。这种文化里对人的尊重和接纳，令我之后多年一直受益。

———————

现在回忆，当时产生"我不属于这里"的感受，还有一个重要的原因，就是虽然工作要求的这些能力是我只要努力就可以获得的，但职场里似乎有自己无法满足的"隐性"要求。比如，要女性穿什么牌子的衣服、用什么牌子的化妆品、拿什么牌子的包。说实话，我当时连那些牌子都没听说过。后来虽然慢慢知道了，但往往觉得贵得离谱，实无必要。而这种状况，到今天也没有太大改善。

我得到的宽慰来自颜宁同学。记得 2006 年我出差到美国东部，顺道去看在普林斯顿大学做博士后的颜宁。我俩吃完饭，她很兴奋地说：一诺，我要带你去买一瓶我最近特别喜欢的擦脸油！于是她拉着我开始在镇上逛。我还以为要去大品牌店，结果她拉着我到了 Walgreen，就是一家连锁杂货药妆店，有点儿类似国内的便利店，然后带我径直走到某排货架指给我看她的最爱——Aveeno 是个亲民品牌，类似国内的"大宝"。这一次"寻宝之旅"让我印象深刻，也说明了我和颜宁同学对"好牌子"共同的认知水平——价格亲民，产品好用，不就挺好？当然我也开始买，到今天家里还有一瓶。

虽然我在品牌认知方面一直没有什么提升，但是在那段时间，我迎来了一个职场成长重要的转折点。这发生在我入职后一年左右。

当时我被安排在一个在日本开展的项目，客户是药企。该项目的小团队一共有三个人，项目经理是韩国人，咨询师是日本人，还有一个就是我。项目上的副董事是个在日本工作很久的德国人，他是经济学博士，在日本办公室以高标准、严要求对工作挑剔闻名。还有几位大领导是美国人。我负责的项目线是一个复杂的病患模型，由于是罕见病，加上亚洲有好几个市场，数据模型特别复杂，有很多可能的情形。

一次开内部会，我向领导们汇报数据模型的进展。领导们问了几个问题，我都可以回答。但整个过程我非常紧张，生怕那个模型的结构或者我预想的假设有问题。终于汇报完，我憋了好久，起身去上厕所。

在往厕所小跑的路上，我突然被那位德国领导从后面叫住。我心里一紧，不知道出了什么问题，停下脚步，回头看他。他从我们刚才的会议室探出头来，对着我喊：一诺，我就是想告诉你，你的工作非常出色！

我现在还记得在通往厕所的窄道上，那一刻，光照在自己身上的感觉。那一句认可给我带来了当时急需的自信。这虽然看上去是再小不过的一件事，但是对职场第一年的我产生了巨大的影响，是名副其实的转折点。

这件事对我的另一个影响是，认识到一个好领导的特质就是给人赞许。我后来也做了领导，会时常提醒自己，**看到别人做了优秀**

的工作，哪怕是很小的一件事，都不要吝啬赞许和鼓励。它对给予的人来说是举手之劳，但可能会成为职场新人获得认可和自信的重要转折点。

从乘客到驾驶员，做那个握紧方向盘的人

走过职场起步阶段，我逐渐敢于为自己的想法发声，也有了自信。但我很快发现，这远远不够。

职业生涯的头两年，有两个场景是我到现在还记忆犹新的。

第一个场景是我第二年做咨询师的时候出现的。我们的项目经理是普林斯顿大学毕业的经济学博士，美国人，很聪明，也很随和。我那时候因为经过了第一年的坎，有点儿"资深"咨询师的小自信了。我们在讨论一个问题时，大家提了几个不同的思路，我都觉得有问题，每个人提出思路之后，我都发表意见说为什么这个不行。

我们的工作间有一块白板，项目经理拿着白板笔在上面写写画画，我坐在白板对面的桌子上，晃着腿，提意见。在我又提了一个反对意见后，项目经理径直走到我面前，把白板笔给我，说：一诺，你别光提意见，去写写你的建议吧。

我现在还记得那支笔在我面前的场景。几秒后，我才反应过来，从桌子上跳下来，整理了一下思路，去写我的想法。

我们之后做反馈时，他说：一诺，你很聪明，但**真正的聪明人并不是会挑毛病，而是会找解决方案。**这对当时的我来说是重要的一课。

第二个场景是我与一个印度裔的咨询师一起和客户做工作坊。他仅仅比我早入职半年多。而我们面对的客户是十几个中层管理者。工作坊的内容是大家看一轮数据，然后讨论。客户里有一位50多岁的男性，一直叉着双手站在外围，很不屑的样子，并不积极参与讨论。但是大家讨论激烈的时候，他总会评论几句，基本意思就是你们不懂、不靠谱。

这种情况发生几次之后，大家都有些尴尬。我就想硬着头皮赶紧把这个工作坊做完，你不合作，我们就找愿意合作的人。就在这时候，让大家都震惊的一幕出现了。我那个印度裔同事从外面拉了一把转椅，推到那个客户的后面，把他按到椅子上，又推向房间中央，对他说：现在你不是乘客，你在驾驶座上（You are in the driver's seat.），说说你的建议吧！

大家都震惊了，当然包括这个客户，他半天说不出话来，等回过神来，工作坊时间也差不多到了。他说：我知道你的意思了，欢迎会后和我讨论。

那个场景让我至今印象深刻。我被这个同事的勇气、智慧和当机立断的行动折服，这样一个动作再明确不过地传递了他的意图，也被当事人完全领会了。

这把转椅教给我的一课是，**做事时，你不是乘客，也不是副驾驶，你要做那个坐在驾驶座上的人。**

快车道上，不敢放慢

我在麦肯锡的第二年，工作有了些自信，非常希望能有机会回中国工作。因为我毕竟是中国人，过去在国内的那些年接触的只是学校和家庭，如今希望通过工作，能有机会了解中国社会。

但是后来发现，这件事无比困难，过了一年半才得以实现。

原因有几个。

第一，麦肯锡虽然是全球公司，但是跨办公室做项目还是有很多现实挑战的，得看有没有合适的项目，有没有匹配的时间。而做一个项目经常要花三四个月，所以这一等，就是几个月到半年，错过一个项目，就又是几个月到半年。

第二，我一开始没想到，我回中国有什么优势。我是中国人，在美国的话，这个标签很明显，但是在中国办公室，大家都是中国人，中文和我一样好，而且大部分人都有在中国工作的经验，所以从这个角度看，我什么优势都没有。中国办公室为什么要找我做项目呢？

第三，是一个前辈的善意提醒：就算真的成行，换办公室是会减缓升职速度的。首先，等待合适的项目出现就要几个月到半年。其次，就算上了项目，你人生地不熟，做得也不一定顺利。如果不顺利，得到不好的工作评价，在"别人"的办公室是不会有人为你说话的。别人升项目经理，你升不了，就得等下一轮，这一等就又是半年。如果因为这个变数错过升职节奏，那岂不是得不偿失。

这个提醒对我是很有杀伤力的，竟然会有这么严重的后果？！职场的环境似乎是天天在快车道上，每天都在竞争，虽然不是和别人直接比赛，但升职速度就是竞争的结果。我要考虑到底回不回中国。我只是个初级员工，连项目经理都不是，要自己折腾，跨太平洋做项目、找项目、找领导，本身就困难重重。就算成行了，还要承担风险，结果很可能是减缓升职的速度，那我图什么呢？

就是这个"图什么呢"，让我有了一个和自己对话的机会。

我问自己：到底想要什么？

我想要的是在中国工作的经验。

那么问题来了，如果这种经验会让我放慢升职速度，我能接受吗？

我一开始觉得不能接受，但是后来想，不能接受是因为我被挟持在一场比赛里，这场比赛在我所在的小环境里似乎是事情的全部。

但真相是这样的吗？

并不是。

所以，如果我因为想要经历、经验而在这场比赛里"落后"，我可以接受吗？

经过一番思考，我觉得可以接受。

做了这个可以"慢"和"落后"的心理调整，我就开始认真去找机会。

终于，在有了发心的一年半之后，我接到了一通来自上海的电话。这次的机会是个大家都不愿意接的4周尽职调查项目。这种项目一般短且超级累，每天连续工作16个小时以上，且做完了对职业生涯没有连续性的支持，所以大家都躲着走。而我看中的是可以去上海做项目，可以认识中国办公室的人，而且仍然在医药领域，没有偏离我的主线。

知道自己看中什么，项目内容就不重要了。

所以当时接到这通电话时，我就说我愿意。从这个项目开始，我认识了中国办公室做医疗项目的团队，也交了很多朋友。做完一个项目，又有了第二个时间更长的项目，而且我有了做项目经理见习工作的机会。第三年，我顺利升职为项目经理。

虽然当时升职的确慢了半年，但几年之后我发现，那次决定反而成了我的加分项。评选合伙人的时候，很重要的一条就是敢于面对风险的创业精神。我当时面对风险的勇气、寻找机会的态度和不走寻常路的选择，成了最好的证明之一。

———————

所以回头来看，那"慢"半年的差距并没有那么重要。

首先，这半年的"延误"换来的是花钱买不来的经历，是财富而不是缺憾。其次，长远来看，这对我的职业发展来说是件大好事。没有人会揪着我说：你当年升职为项目经理晚半年，所以你不行！我反而因为在那个阶段的选择，有了不一样的视野和积累。我做到合伙人位置的时候，不过是进公司的第六年，所以就算用原有的标准，我也没有耽误什么。

这种对"慢下来"的恐惧，其实源于我们误以为每一段经历都有明确的标准和时间表。

真实的人生，以及职业和事业的发展，都不是线性的。它们有停顿，有曲折，也有跃迁。在这下面其实有一条隐形的道路，这条隐形道路的主线，是我们对自我和世界的认知。所以从这个角度讲，人生最重要的是真实丰富的经历和思考。因此，**我们在做选择时，一个重要的原则就是这个选择会不会扩大视野，加深认知，如果是，就选择这条路。**明确了这条内在的隐形道路，我们就知道外在的快和慢其实都是暂时的。

觉察练习 · **巅峰**

现在的你正处于什么样的生活和工作状态中？

请放下手头的事，静下心来，感受自己的状态。

然后慢慢地，回忆自己人生成长中的一个巅峰时刻。

所谓巅峰，就是抛开外界定义，自己由衷觉得特别爽、高兴、有成就感的时刻。

回忆一下，那是什么样的一个时刻，有什么样的背景、哪些人、哪些事，你在其中是什么样的状态，这种状态从何而来。

请记录这个场景和你当时的心情、状态。

然后带着这种巅峰时刻的感觉，再回到当下的生活和工作中，看看此刻自己的心境会有什么不同。

扫描本书封底二维码关注"奴隶社会"公众号，在消息栏发送"**巅峰**"，即可收到我的更多分享。

第 2 章
升职之路，
不是努力就有皇冠加冕

在职场早期最重要的转变，
是从等待认可到争取支持。

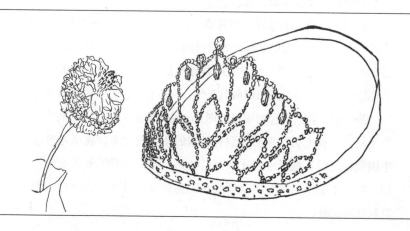

做领导，其实我不敢

从做项目经理开始，我成了很多优秀中层中的一员。

大概是同一时期，我开始关注性别的问题。当时在经理层，优秀的女性很多，但到了高层，女性就明显减少了。这里有职场环境对女性的结构性限制，后文也会讲到。但是不知道女性朋友有没有问过自己，**假设没有那些外界的限制因素，我们自己敢不敢、想不想当大领导？**

那时候的我，说实话，不想。

当时的我是一个出色的项目经理，经历了前两个阶段的成长，干活漂亮，也有自信。

我一方面很"清高"，不屑于思考升职；另一方面，对公司的一些事看不惯，不想"掺和"高层的事。

我想，很多踏实做事的朋友在进入职场几年后，可能都有过这种矛盾心理。因为"清高"在我们的文化里经常是褒义词，而往上走则显得爱慕虚荣、贪恋权势。

公司里有个我非常看不惯的美国白人男性领导——夸夸其谈，不做实事，常把团队的工作说成自己的功劳。但他是领导，我一时半会儿躲不开。我想，如果上层领导都是这样，那我不如离职算了！想到自己是因坚持原则而离职的，我还有一种莫名的崇高感。

苦闷中，我给曾经的项目经理Connie（康妮）打电话。她是个个子矮小，看上去柔弱但特别有见地的新加坡女士。我早先想在中国做项目时，她虽然只比我早进公司一年，没有很多认识的高层，但是不遗余力地帮我联系她认识的领导，最终帮我成行，所以我特别感激。

这次我告诉她，我看到的领导令人失望，所以我不想做这份工作了。她听了我的吐槽，问我：一诺，和你这个领导比，你是不是觉得自己相信和坚持的是正确的？我说：那当然是的。她说：那我告诉你，**唯一能让你自己坚持的东西成为现实的办法，就是你自己当领导**。如果离开了，你的这些坚持有什么意义呢？这些问题不会有任何改变。你就是去别的公司，也会遇到一样的问题。

那些话对我像是当头棒喝。

我的内心开始有了微妙的转变，这种转变慢慢积累，让我开始放下"清高"，向晋升为副董事合伙人而努力。

等待皇冠和羞耻感

到 2010 年，我入职四年多，顺利成了副董事。但当我下决心要成为董事合伙人的时候，我遇到了职业生涯的另一道坎。

在当时麦肯锡的环境里，成为合伙人是件大事，和升副董事不一样。在当时的我看来，如果想成为合伙人，要做的一件事就是"跑关系"，找人做你的支持者。当时我很不齿于这种行为：有好好的时间不做业务，为自己"买官鬻爵"，姿势太难看了吧。

我反思自己，有三个心结。

> → **等待皇冠**。潜意识里，是我们一直被教导的"是金子总会发光"——如果我的能力强、业务好，"上面"自然有人能看到我的能力，"钦点"我做合伙人。这就好像一位公主等待有人给她戴上皇冠。

→ **羞耻感**。自己要求晋升？那是可耻的！我们被教育的处世哲学是，想做领导如果是为了个人的晋升、名利，那就是可耻的。

→ **"不务正业"**。我脑子里有个根深蒂固的概念，花时间跑业务是正事，而为了晋升，花时间"跑关系"是浪费时间、不务正业。

当时和我敬重的领导的几次谈话，让我打开了这三个心结。

→ **放弃"皇冠思维"**。被"上面"看到是一个抽象的概念，而且不切实际。现实是每个人都很忙，尤其是高层领导，不一定看得到你。所以我们做了事情，要主动说出去，有一说一，不卑不亢，这也是工作该尽的职责。

→ **放弃羞耻感**。晋升是为了有更大的影响力，不是为了个人名利，个人只是做成事的一个工具。如果事情是对的，能做好，那自己的姿势好不好看并不重要。事实是，除了你自己，没有人那么在意你的姿势好不好看。

→ **争取支持也是做事**。所有职场环境里都有复杂组织，复杂组织的信息流通往往并不高效、顺畅。所以在做具体业务之外，争取更多领导和同事的理解和支持，不是额外的动作，而是做事的一部分。

这些心结打开后，我就敢于诚实地对自己说：我想要当领导。麦肯锡的合伙人评选流程里，会有一个和我完全没有交集的资深合伙人，去访谈这些年和我共事过的领导、同事及下属。

于是我开始约见相关同事和领导，大大方方地让他们了解我的工作成果、职业目标，争取他们来支持我实现自己的职业愿景。这样在合伙人评选的时候，他们就能给出全面的意见。

经过这个过程，我如期被评选为合伙人，那是 2011 年年底，离我入职麦肯锡只过去了 6 年。那时我还带着"一个半"孩子（老二在肚子里），算是成了励志的典型。

迈过那道坎，再回头看，**我发现很多女性在职场上没有再上升，实际上败给的是不"想"。**我们的能力、业绩当然也要成长，但把我们往后拉的往往不是能力不够，而是上面说的三种心态——等待皇冠、羞耻感和对业务的狭义界定。这三种心态对很多男性来说都不是问题，但很多女性深受困扰却不自知。

真正的成长都来自看到和面对自己内在的困境。比如，为什么觉得羞耻？为什么要等待皇冠？为什么觉得有一些事情不值得做？和自己的对话会让我们发现潜意识里坚信的很多东西不一定是正确的。而这些潜意识里的条条框框，我们往往意识不到，因此从不挑战，认为它们是天经地义的。

其实没有什么是天经地义的，很多"天经地义"的限制都来自我们的内心而已，当我们意识到这一点时，在职场的路才会越走越宽。

女性的困境

我从 2014 年开始写"奴隶社会"公众号的文章，接触了很多职场女性，也做了不少深入的沟通，发现大家在职场上的心路历程和我自己的经历一样，多多少少受了几种心态的束缚。

不停地寻找外在认可

我接受过长江商学院的女性议题访谈。

访谈提出的第一个问题就是如果给自己的领导力打分，满分为100分，你给自己打多少分。

我说：打满分啊，我给自己打100分！

我是半开玩笑的，这样回答不是我自大，而是我认为这个问题不对。在问题的背后，我们更应该思考的是，身为女性的我们是不是太在乎别人的评价了？

你可能觉得我讲得自相矛盾，前文不是刚讲了被别人认可的重要性吗？的确，但那是在职场初期，是我们对到底什么是"好"不了解，对职场的大致标准不清楚的时期。

建立自信的前提是我知道自己大概做到了什么程度，这时同事和领导对我们的评价是很重要的。但是一旦自己有了概念，就不能永远处于这种心态。如果一直在寻求外界认可，就很难在职场上获得成长。

我们在教育里一直灌输的理念就是什么都有一个客观标准，世界处处是标尺，我们要经常去量一量，看看我们在哪里。

但这把标尺在哪里呢？我们一般以为在领导手里，在权威人士手里，在机构手里。哪怕这个人或机构并不存在，我们也习惯性地认为有一些个人和机构在做标尺。之所以会这样想，深层的心态是把评判自己的权利拱手让给别人。

我们为什么这么在意外界的评判？其实讲到底是对自己不接纳，所以希望通过别人的接纳来证明自己还不错。但是"向外部寻求认可"这条路是没有尽头的，即使一些人接纳了你，还会有一些人不接纳，你不可能在所有人眼里都是好的。去追求所有人的认可，既不可能做到，更不可能给你带来真正的成长。每个人的成长都需要从外界认可带来自信过渡到内生的自我接纳和自信心。

有了这个转变，我们就会在职场拥有绽放的力量：**从寻求认可到寻求支持**。不是"请问，我这样想，你看行不行"，而是"**我想去的地方是那里，我想做的事是这样的，你可不可以支持我**"。

自我苛责，不够爱自己

女性在职场的另一个"症状"，就是爱道歉。

很多女性朋友开口说话或在邮件开头，总是先道个歉，好像这样做才感到安全。比如，"我可能说得不对"，"我这个观点可能片面"，英文就是以"I might be wrong"开头。你如果留意，就会发现这种习惯在女性身上更普遍。

我每次遇到这样的情况，就会提醒对方，不需要道歉，有什么观点就直说。

其实这个道歉后面，是深深的自我评判。

有个朋友的故事对我触动很大。Susan Charles（苏珊·查尔斯）是加州北部的帕洛阿尔托非常受尊重的一位教育者，我认识她的时候，她已经退休了。她是非洲裔美国人，健谈风趣、充满活力，6个兄弟姐妹都很有成就，有银行高管，也有技术主管。Susan 45岁的时候读完了在职博士，博士毕业的时候，她最大的孩子20

岁，最小的孩子 12 岁。

我很好奇她的成长经历，她说她的父母文化程度都不高，妈妈是个瘦小的非洲裔护士，但是从小妈妈就告诉她："你是天底下最棒、最美的女孩！"Susan 和我说着就大笑起来："我当然深信不疑了！"

她说自己做教育很多年后才意识到妈妈有多么了不起，父母对孩子的不断认可、教会孩子的自我接纳，是孩子人生无价的珍宝。这些支持她走过了人生很多关键且艰难的时刻。

所以前文讲的我给自己打满分，不是说自己真的完美无瑕，而是全然接纳真实的自我。我当然会努力，但努力的原因不是你告诉我满分是 100 分，我只有 80 分，而是因为我知道自己可以做得更好。

我们不需要盼着谁来告诉我，"今天你很棒，可以开心舒畅"，而是我自己就可以判定"今天我很棒，可以开心舒畅"。

只有能接纳自我的人，才能真正地从内而外领导自我，从而做出卓越的成就，吸引真正意义上的追随者，成为外在的"领导"。

社会层面对女性依然有很多结构性限制

曾经在社交媒体刷屏的一个数据，是 2018 年美国劳工部发布的世界各国劳动参与率，其中中国女性的劳动参与率接近 70%，超过该调查涉及的其他许多国家。很多人，包括女性朋友，看了觉得很自豪，说我们妇女托起半边天。然而，这个数据背后有我们需要关注的另一面的真相。

真相之一，是在企业高管和政治参与度方面，中国女性的参与水平并不高。比如，世界经济论坛发布的《2016 年全球性别差距报告》显示：包括人大代表、领导官员、经理在内，中国的女性比例只有 17%。女性 CEO 则只有 3.2%。如果将中国的人大代表和其他国家的议会议员相比，中国的女性代表比例不足 23.6%，在 191 个国家中排名第 71 位。

真相之二，是女性相对男性来讲，有巨大的、没有报酬的付出（包括做家务、照顾孩子和老人等）。经济合作与发展组织（OECD）曾对 29 个主要成员国男性分担家务的时间进行了调查。结果显示，中国男性每天在照顾家人、购物和家务活上花费的时间只有 91 分钟，远低于各国此项的平均数据 134 分钟。其中，中国男性投入打扫卫生、洗衣等日常家务的时间为 48 分钟，而在相同的事情上，中国女性则每天投入了 155 分钟，是男性的三倍多。

真相之三，就算在有偿工作的市场，不管是在城镇还是在农村，女性和男性的工资差距都比较大，而且差距越来越大。最能从经济增长中受益的是城市男性，而女性，特别是农村女性，是被远远落在后面的。

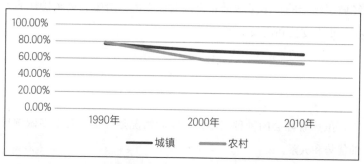

图 2.1　中国不同地区在业女性的年均劳动收入占男性
年均劳动收入的百分比

数据来源：全国妇联和国家统计局联合组织实施的第一、二、三期中国妇女社会地位抽样调查主要数据报告。

我最初看到这些数据的时候，感到非常震惊。女性领导数量少的原因，是社会有很多对女性结构性的限制，并非女性自身不够努力、不够勇敢。因此，脱离社会背景去单纯评价或者批判女性的个人选择，是非常片面的。但因为在决策层的女性少，她们的声音就小，由此成为一个恶性循环。

美国社会学家阿莉·拉塞尔·霍克希尔德在 1989 年就写过一本书，英文名叫 *The Second Shift*，最近又再版，我为其新版的中译本 ① 写了推荐语。书里有一句话，说职场妈妈最需要的是一个老婆，因为现在的职场规则和逻辑都是为了有太太在家带孩子的男性设计的——真是一针见血地说出了职场女性面对的结构性挑战。

如何应对这种挑战？**一方面，社会需要更多共识和相应的政策支持；另一方面，要更多女性能"成功"，并可以更广泛地发出声音，推动正向循环。**

所以对每一个女性来说，在可以发挥作用的空间里，我们能做一点儿是一点儿：有能力、有条件做领导的，去争取做领导；已经做了领导的，尽量帮助和提携女性下属，给她们更多榜样的力量，更多支持和成长空间。

虽然有社会的种种限制，但实际情况是，女性有很多做领导的优势和天赋。

---

① 阿莉·拉塞尔·霍克希尔德. 职场妈妈不下班：第二轮班与未完成的家庭革命 [M]. 肖索未，刘令堃，夏天，译. 北京：生活·读书·新知三联书店，2021.

女性具备的一些特质，比如有同理心、亲和力，能够协调资源等，都是优秀领导需要的特质。女性的理性思维、逻辑推理能力并不比男性差。另外，很重要的一点是，大多数女性的ego（"小我""我执"）没那么大，这在成为领导之前也许不利于发展，因为容易"过于谦逊而让人看不见"，或是满足于做一颗螺丝钉。但是如果能从"小我"变成"大我"，在成为领导者之后，这就是一个大大的优势。

几年前，麦肯锡对超过1 500家公司进行大规模研究后发现，女性高管比例越高的公司，业绩越好。这是有非常有力的真实数据支持的。

讲了许多，最终，希望通过更多人的努力，对"女性难题"的讨论能逐渐演变成对"女性成功之道"的探索。因为女性不能在主流职场发挥更大的作用，是社会的巨大损失。

在你心里，有什么"想要"却又"不敢"争取的事情吗？

是一次不敢和老板直说的提案、一次不敢争取的晋升机会，还是不敢拒绝的加班？

请写下你的这些"想要"和"不敢"。

看看这些"想要"对你来说到底有多重要，为什么？

问问自己，这些"不敢"真的有那么难以突破吗？为什么？藏在它们下面更底层的"不敢"是什么？

扫描本书封底二维码关注"奴隶社会"公众号，在消息栏发送"**争取**"，即可收到我的更多分享。

第 3 章
初当领导，不敢 "建造"

团队需要你的，不是比以前做更多事，

而是做不一样的事。

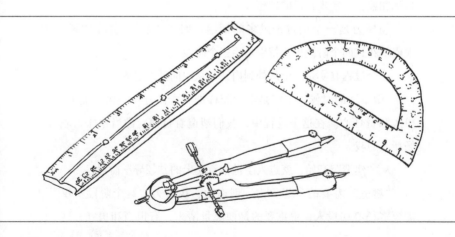

从"做"到"建"，职业成长的四个阶段

进麦肯锡的第一年，公司组织过一次关于女性领导力的讨论会。某家大型医疗企业非常资深的女性高管回顾自己这些年，说职业经历分为三个阶段：

> → 第一个阶段是 Do（做事），好比造一栋房子时做好砌砖这件事。
> → 第二个阶段是 Build（建造），作为团队领导，领导大家盖房子，从蓝图到设计，再到施工。
> → 第三个阶段是 Coach（教练），支持团队明确他们心目中房子的样子，进而盖好他们自己的房子。

在后来的十几年里，我慢慢体会到，在这三个阶段之上，还有**第四个阶段——Inspire（激发）**，启迪与引领每个人确定自己的目标和愿景，实现自己的理想。

领导力是一个被讨论过多的话题。如何"领"，如何"导"，大概就在这四个阶段里，特别是后三个阶段。

这个过程其实是一个从外到内，又从内向外的过程。

"做事"的时候，关键是学会怎样把工作做好——需要能力、投入和责任心。在这个过程中，我们塑造着自信，像当年作为职场新人的我。

从"建造"开始，就进入了世俗意义上的"领导"阶段。

"建造"需要的是想象力、创造力、执行力。这个阶段不仅需要责任心和投入，更重要的是使愿景清晰，有担当和勇气，这

是我们在职场有了自信和认可，开始独立负责项目、带团队的阶段。

"教练"这个阶段，需要我们做一个很重要的转变，就是少说、多听。从自己冲在前面到有意识地支持和培养周围的人。

"激发"和引领，似乎是一个在前面摇旗呐喊的领导者的形象，**其实真正有效的激励并不是豪言壮语，而是你真实的选择和言行**。这时候，我们不仅会影响身边人，还会影响看似与我们无关的人。

而我们在每一个角色里，其实都在经历这四个阶段的成长。多角色的不同阶段可能会共存。比如我们可能在某个领域已经到了"教练"的阶段，但同时在新业务中，还在每天"做事"的阶段。

做父母其实也一样，从"做事"（照顾孩子）开始，最终到"激发"（对孩子潜移默化地影响）。

职场中层，寻找自己价值的尴尬期

当好"领导"，知易行难。从"知道"到"做到"的这一路，我走得跟跟跄跄，也掉进过很多坑，这里说三个最主要的坑。

第一个坑：不知道"领导"到底应该干什么

做项目经理一段时间后，我开始做资深经理，一个人带两个经理做项目。这基本就是向副董事过渡的阶段。

当时我已经是一个很好的项目经理了，带分析师、和客户沟通、向领导汇报，都不在话下。但这个夹在中间的资深经理或者副董事，是一个比较尴尬的角色，说实话，我当时不知道该怎么做。

我还不能让团队看出来我的无知，所以要尽力勤奋地做。有一天，我的时间是安排给一个团队的，到了客户那里的项目办公室后，我发现项目经理很能干，一切都安排得井井有条，没有什么需要我解决的问题。我坐在那里不知道该干什么，就想帮忙做点儿实事吧！我看分析师做了一组分析，需要做成PPT展示结果，于是我就坐在那里，花了两个小时，把几张PPT做好了。

我很得意地把PPT给项目经理看，可她看到那几页PPT诧异的表情，我现在还记得，她仿佛在说："这是啥？"接下来她说："一诺，这是我安排给那个分析师做的，不需要你，你要是没事就回去吧。"我这"领导"别提多尴尬了，而且当时觉得很冤：我做这件事至少是帮了忙吧？怎么感觉像添乱了一样？

那一轮我参加副董事的评选，落选了。可想而知，客户和经理们给我的反馈不怎么样。

我后来放下自己的尴尬，去问这个项目经理：我做什么对你和团队是有用的？她说：其实有很多事你都可以做啊，可以去和那几个难搞的客户聊聊天，帮我们的工作减轻阻力；可以帮我们团队多争取些资源，帮我们分担一些工作量；可以和我们的大领导多沟通，我们就不用加班这么多了。我知道你是好心做这几张PPT，但这真不需要你做啊。

我恍然大悟。

所以做领导，不是继续在"做事"层面做贡献。团队需要你做的，不是比以前做更多同样的线性的事，而是做不一样的事。

第二个坑：领导阶段就应该受苦

副董事这个位置在当年的麦肯锡是出名地难做。一方面，夹在大领导和项目经理中间，工作职责很模糊，而且成果很难被看到；另一方面，在这个职位过渡的几年，是为了证明你有做董事合伙人的能力，如果无法升职，就要走人了。

所以当我评选上副董事时，是准备好了要"拼"和"熬"两年，过两年没有个人生活的苦日子的。当然，这样选择很痛苦，那时候我刚有第一个孩子，是个新妈妈，不知道该怎样平衡工作与生活。我记得开始做的两个项目都很累，每天面露菜色。这时候，有另一个项目建议书找我，我知道做副董事不仅要带项目，也需要做投标文件，证明自己有拿项目的能力，所以我想也没想就同意了。当然，我同意之后很头大，所以去找领导，想请教他该怎么做这个项目书，以及我手上这几件事的优先级应该怎么排序。

我以为他听完之后会告诉我该怎么做，没想到他问：你要做的已经这么多了，为什么还同意做这个投标？

我很诧异地说：副董事不就是需要做很多事，经历这个痛苦的阶段吗？他说了一句我终生难忘的话：如果你觉得这两年会这么痛苦地过，那你痛苦就是活该。

这一句话点醒了我。**在任何阶段，都不要把主动权交出去——不管是交给一个职位、一个人，还是一个阶段。在任何阶**

段，我们都有自己如何度过的主动权，哪怕看上去有很多限制，我们还是有做决定的空间，不要轻易放弃。如果放弃了，反而是没有可能成功的。

其实多想一步，我们为什么把主动权交出去，根本原因是恐惧，觉得我"只有这样，才可以……"当我们被恐惧裹挟的时候，就看不出还有别的路可走。我们也许会听到一些故事，说别人都是这样做才获得成功的，但其实这些故事也是被转述者的恐惧心理加工过的，并不一定是事情的原貌。

现在回看，我可以负责任地说，**真正成功的人，走的都不是这一条被恐惧裹挟的路**，原因很简单：这条路走不远。自己的全部能量都被无穷无尽的恐惧消耗了，如何能走远？何以谈成功？

所以做领导的道路不是必然痛苦的。这么说不是让我们逃避困难和痛苦，而是提醒我们，任何时候，主动权都可以在自己手里。

第三个坑：觉得领导是一个职位

升职之后，我最得意的事莫过于印名片了。

在麦肯锡，底层员工的名片不写职位。到了副董事合伙人，才有这资格，名片上赫然写着：副董事合伙人。

我那时候觉得出去开会，递这样一张名片，马上能证明我是领导，威风得很。

但是我很快就发现，这种职位带来的领导感是转瞬即逝的。一开口发言，有没有水平和见地，马上就看得出来。所以不要觉得有头衔就是领导。最终能证明实力的，永远是自己的真实水平。

当然，名片在工作里有用，能够让别人很快知道自己在组织里的位置。但不要过于在意它，在最开始了解一下就可以了，之后应该把自己和对方都当作平等的人去沟通和交往。

这几个坑，是在我做领导初期经历的，算是开端，往后这些年，还有很长的路要走。

学会当领导的三条"捷径"：
犯错、砸墙、当坏人

并不是职位高才是领导。只要你开始带团队，哪怕只带一个人，都是开始做领导了。这时候，你不仅要把手头的事做好，还要思考大局。这里的大局不是世界趋势，而是微观的"大局"，就是超过自己"做事"领域之外的事。

我从项目经理到副董事的过渡，其实就是一个学"建造"的过程。"建造"需要做什么，这些年，我在跌跌撞撞中慢慢学会了一些，在此和大家分享。

先讲讲我从哪里学习"领导力"。关于领导力的著作汗牛充栋，研究不计其数。不过对我来讲，最有用的来源有三个。

第一，我的一些家人在工作里是好领导。做领导的根本是做人，所以我对家人为人处世的观察，是最早受到的关于领导力的熏陶。

第二，在职业发展中，特别是在麦肯锡时多位导师的提携。

第三，我看到过各种不好的领导的奇葩言行。每次遇到，我就想：天哪，我以后当领导可千万不能这么干。

我总结出好领导有如下三个特质。

对事：有方向感，能选对路；
而选对是从选错开始的

领导，究其核心，是有远见、愿景、方向感。大家可以回忆一下自己喜欢的领导，都是有见解、有战略眼光、有方向感的，对吧？他们能在大家一头雾水的时候，提出清晰的观点；没有观点的时候，知道如何获得观点。

相比职场"坏人"，我更怕"老好人"领导，因为他们言之无物，没方向，经常以"民主"为名，靠团队提供方向。

方向感从哪里来？我们普通人怎么变成有方向感的人？我总结出 3 个方法。

> → 多观察，多提问。

关注领导什么时候做了什么决定，依据是什么。如果看不出门道，那就问，问几次就明白了。这里最忌讳的是猜，然后根据办公室谣言和蛛丝马迹自圆其说，这样不仅没有学到精髓，还可能误入歧途。

> → 多实践，多犯错。

我们的经验和判断力是在一次次经验和错误中积累和提升的，没有捷径可以走。

我工作的这些年里有过无数次尴尬的无知，和很多不知道如何着手应对的问题。每一次的出路都是去做，出了错，就反思和总结，不断改进，方向感因此慢慢形成了。

我在麦肯锡做的第二个项目，是帮一家电信运营商做零售店的绩效提升，当时我对这个领域一无所知，问的问题都很傻。为了提高认知，我进店观察，看到店长和顾客侃侃而谈。我一问才知道店长刚18岁，从15岁开始做兼职工作。我请教他怎么做好销售，他说了一个金句："Everybody needs SOMETHING, it's your job to find out."（"每个人都需要一些'东西'，而你要自己弄清楚那是什么。"）

我后来在麦肯锡的许多年，服务客户，参加竞标，回想这个18岁的小伙子说的话，可以称之为我在客户关系方面经受的第一个培训。

→多琢磨，多思考。

很多人会迷失在忙碌里，觉得自己出了苦力，就会有回报。真正优秀的人，是不停地深入思考的人。相比身体的忙碌，更重要的是勤于思考。对重要的问题，早思考、早讨论，早在核心假设和核心问题上形成观点。这时候花1个小时，比后来走错方向之后花10个小时应对都有效。

对组织：会"砸墙"；创造环境和条件

好领导需要看到"围墙"在哪里，包括组织内外部的墙，且能够"砸墙"，还要能建造。因为每个人，即便是最高位置的人，能力和能量都是有限的。所以领导力的精髓是为团队的成功创造环境和条件。

"墙"大多是因为组织结构制造了障碍，很多事推进起来低效是因为资源遭到了低效分割。

如何做一个"砸墙者"，我有几条经验。

从人开始。要意识到，不管多么吓人的头衔，拥有它的都是真实的人，认识他们，了解他们的视角，聊聊天，从他们的角度看这堵"墙"。

共赢。我的成功不意味着你的失败，不必零和。"砸了墙"不仅能帮助我，也能帮助你。

找到"发力点"。知道组织的内在结构以及"发力点"在哪里。谁是决定者，谁是参谋，我们需要去影响谁。

会讲故事。有时候有"墙"存在，是因为别人不知道你要做什么事。所以把故事讲好，要做什么、为什么、怎么做，讲通这些，"墙"就不攻自破了。

"砸墙"之后如何建造呢？有两条经验。

创造坦诚的文化。其实对个人也好，组织也好，最大的成本是不信任带来的各种内耗和管理成本。所以从自己做起，言而有信，有意见就当面谈，创造一个以信任为基础的组织环境。

建匝道。只有方向感还不够，要自己先建匝道。如果要写邮件，你就先写一封，定个调子。如果要做某个分析，你就给个例子。如果要和新的外部机构开会，你就先约见对方，记得带团队一起。在优秀组织里，大家的学习能力都是很强的，但是认为定一个方向就让团队自己快跑是幼稚的，好领导会把匝道建好。

对人：勇当"坏人"；接地气

这里的"坏人"不是品质上的坏，而是那个"难做的人"，其中有两个意思。

→ **当团队遇到挑战的时候，你当那个堵枪眼儿的。**

麦肯锡里有一位我很尊敬的领导。有一次我们一起和客户开会，幻灯片上赫然写着不该出现的公司名字，这属于低级错误。我当时是带项目的副董事，就慌了。这位领导却很淡定地说：对不起，这是我大意了，我们会马上删除。他一个人把责任都扛下来。我还记得那一刻他在我心里的形象——无比高大。

→ **团队内部有分歧的时候，做那个"坏人"。**

其实团队内部产生分歧，往往不是有的人对、有的人错，而是大家看到的情况不一样，所以有不一样的结论或感受。这时候，领导首先不能清高，觉得自己拍板就行，而是要真正了解情况，再做决定。做决定依据的不是个人好恶，而是组织的发展方向。

"接地气"有三重意思。

→ **你可以不做具体工作，但要知道"民间疾苦"。**

在麦肯锡做复杂数据模型，从结构假设开始到成型，工作量很大。员工最怕遇到的领导就是一开始不给意见，等做完模型后轻描淡写来一句："重新搞一下吧。"哇，您知道这有多少工作量吗?!

所以后来我自己做领导时，会针对影响后续环节的核心假设，早和团队讨论，早给意见，事半功倍。当然，这个前提是你对项目的核心有把握、有思考，而不只是表面勤快。

→ **愿意同甘共苦。**

我在麦肯锡做经理的时候，带过一个韩国的项目，非常痛苦。客户、题目、团队，都有问题。记得有一次，第二天要开大会，第一天就要先和客户的总经理开会梳理一下讨论内容。总经理忙了一天，到晚上 8 点才有空闲。梳理内容时，他有很多想法。鉴于当时的各种情况，我们必须做这些改动。那时，团队成员已经回家了，因为开完会已是晚上 10 点。

我当时脑子嗡嗡响，不知道晚上该怎么做完这些工作。这时候，项目上的领导说：你说需要几点做完，咱俩一起做。于是，半夜 12 点，我们俩在酒店会合，他说他现在PPT 做得不快了，但是做数据模型，脑子还清楚。结果就是我像带着一个分析师一样"带着"这位资深领导，他做模型，我画图表、做 PPT，干到凌晨 3 点完工。

这样的领导，员工怎能不喜爱？

→ 有"生活能力"。

很多领导做到高层，每天活在被无数人抬轿子的世界里，以为这就是真实的世界。

我做副董事的时候，有一次在上海开会，要来一个我没见过的内部大领导。开会前 5 分钟，我们都在忙前忙后地准备会议，这时我接到一通电话，是这个大领导打来的，他很不客气地说：你下来一下。我跑下楼，看到他从出租车里出来，对我说：你付一下钱。我当时有点儿蒙。他说：我出差从来不带钱，但今天秘书给我安排的车半路坏了，竟然要用到钱了。我心想：哇，是啊，"竟然"。

所以要经常提醒自己，不管头衔多大，别成为这种脚不沾地的人。

上面几点说完了，总结一下，从执行者到好领导，需要有方向感，能选对路，看得到"墙"，会"砸墙"，创造通往成功的环境和条件，勇当"坏人"，接地气。更简练地说，就是上面眼睛看得远，下面脚站得稳，有使劲用的脑子、一颗爱心，加上一张"厚脸皮"。

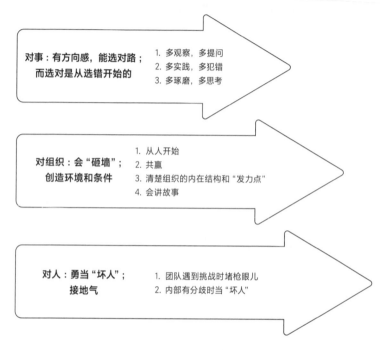

図3.1 学会当领导的三条"捷径"

回到我落选的那个低落时刻。

我意识到，我首先是不会，但其实也是不敢做那个"建造"的人。

我是一个好经理，是可以做好执行的人，但是我还不够格，去做大领导做的事，去思考大方向，去"砸墙"，去帮助团队扫除障碍，达到目标。我觉得我可以花时间做PPT，但是不敢花时间走进客户的办公室，和他们聊聊对项目真正的思考，以及他们的担忧。
为了探究原因，我有了如下对话：

为什么做不了？

因为我觉得那个是大领导的事，不是我的事，我只是小领导，我做不了。

是没能力吗？

其实不是，就是觉得自己不够格。

但是那次落选也让我看清楚，如果不能做"建造"者，跨越这一步台阶，我就永远不会是一个合格的副董事，也就意味着要被解雇。

既然不是能力的问题，那是什么？

我想，是我对自己的能力和角色做了内心的限制，觉得这样是我，那样就不是我了。

为什么不是我？

因为如果具化"大领导"的形象，在我心里，就是一个身材高大的男性，严肃且理智——远不是我这样的形象：女性、母亲、爱笑、爱聊八卦。

当我意识到这一点时还是很震惊的，**我们说社会限制女性职业发展，其实我们自己内心对女性的限制往往更加苛刻。**

除非我内心放下这些限制，否则我不可能走出来，所以我要开始想象那个"大领导"的样子，不是别人，不是那个身材高大的男性，而是我！

但这是很难的，我的内心总有自我否定的声音。所以，只能是独处的时候，做贼一样地遐想一会儿。

有时候开会之前，我要去一趟卫生间，其实就是在里面坐一会儿，**在脑海中想象我这样一个"大领导"，会怎样讲话——既是我本人，又是领导。**

这些在卫生间里展开的想象，让我慢慢走出了内心的限制和舒适区——**不是在办公室里坐着等，而是事先主动约客户去推动进展。**这种努力让我从不适应、不舒服，到慢慢习惯。

半年之后，我顺利升职为副董事。

这个过程其实一直在继续。

很多年后，我发现很多女性同事的脑子里"领导"的具象，有一个是"李一诺"的样子。这种结果，是当年在卫生间里给自己打气的我完全不敢想象的。

觉察练习 · **领导**

职场的四个阶段：做事、建造、教练、激发。现在的你正处于哪个阶段，想去往哪个阶段？

你心中的好领导是什么样子的？"坏领导"是什么样子的？如何才能当好领导呢？

把理想领导的样子写或画出来。这个人如果不是你的样子，就问问自己为什么。

和自己展开真实的对话，问自己心态要做哪些改变，才能让自己成为那个"既是你本人，又是理想领导"的样子。

扫描本书封底二维码关注"奴隶社会"公众号，在消息栏发送"**领导**"，即可收到我的更多分享。

第 4 章
成为高层，学会"敞开"这门艺术

敞开和防御状态最大的不同，就是承认
有些事我不懂、不知道、没想明白。

领导陷阱：敢说不敢听，敢答不敢问

敢于"建造"之后，我成了副董事，之后又升职为麦肯锡的合伙人。

我在麦肯锡这些年训练的一个表面成果，就是特别能说，可以滔滔不绝。项目投标、进展、结束都靠PPT展示，靠说。似乎领导位置越高，就越能说。

但是，我发现有一些让我仰望的领导给人的感觉非常不一样，他们话不多，但很会听。似乎听你说完，他们就知道你深层的问题是什么。他们还特别会问问题，有时候提一个问题就能让思考方向大不一样。

这是什么能力？后来我知道了，这是教练的能力。

做教练，是更高阶的领导力。

我们很多人对教练有误解，觉得就是教别人做事。其实职业教练并不教怎么做，也不告诉你答案，而是看到了你看不到的东西，通过问问题，做你的镜子，让你自己找到答案。

这种能力不需要PPT辅助，也不需要口齿伶俐。它需要的不是说，而是听。

能做到听的前提，是"敞开"的状态。我们总在不停地输出观点，其实内心底层的状态常常不是防御就是攻击，是证明"我懂、我对"的状态。

麦肯锡是一个高能量、高竞争、高压力的环境，很多职场环境也是如此。在这种环境里，人经常会处于一种"备战"状态，是防御性的，也是攻击性的，像披了一层厚厚的铠甲，总准备着应对向我飞来的各种挑战，要做最完美的应对，好打胜仗。这在一定程度上是有效的，但有效性其实有限。因为我们的内在状态是关闭的，外面穿着铠甲的时候，动作范围必会受限。这样的状态还会让人很累——不仅我累，团队也累，客户同样累。

而能看到真正的底层问题并聚焦于此，做有效的讨论和决定，需要人处于"敞开"的状态。

敞开不是"松散"，这种状态和防御状态最大的不同，就是承认有些事我不懂、不知道，而不是说我什么都想到了，成竹在胸，有问必答。

但是这种状态很难在咨询业立足。因为客户付给我们咨询费，就是要答案、要方案的。你似乎要把答案给得滴水不漏，方案做得无可挑剔，才"值"这不菲的咨询费。怎么敢说"我不懂""我不会"呢？

所以在这种情形下要"敞开"，或者说认怂，是很需要修为和勇气的。

这里的认怂不是推责，而是在做了足够多的功课和思考之后，坦陈我们当下认知的边界在哪里。

认怂，不丢人

我曾经不敢认怂，但这种"不敢"后来被一个客户治愈了。

那是我们服务的一家医药企业的中国区老大 C 先生。他在业内非常有经验，做销售出身，对市场非常了解。他讲话很少，但不言自威，是"人狠话不多"的风格。

我们是被他的上一级领导请来的。这位 C 先生不觉得我们有什么价值，所以我们的团队一开始面对的就是一个很难搞的主要客户。

我是学生物的，对医疗市场有不少经验，但是对这个细分市场并不了解，需要从头学。我带的团队就更没经验了，成员虽然都是聪明能干、名校毕业的年轻人，但是对这个市场的了解也是"零基础"。

我那时候就想，一定要做足功课，把我们可以了解的都了解到，不要在C先生面前露怯。所以，我带着团队在前期特别努力地了解市场，做访谈，做一切能做的功课。偶尔，C先生走过我们团队坐的房间，会说几句风凉话，比如：你们现在重头学，能学到哪里？团队成员都毕恭毕敬地报告说我们了解的情况，他不做置评，听完了就离开，搞得团队成员心里直打鼓。

我们那时候团队的办公室在下沉的半层，办公室外面有一段开放楼梯，能通到上一层楼。有一次，C先生从那段楼梯走下来，叫我的团队成员过去。他站在楼梯拐角的小平台上，像在城楼上对着半层楼梯下面的团队"训话"，说：你们太没经验，市场不是这样的。他的声音很大，又是在开放空间，大家都不知道怎么应对，站在那里感到很尴尬。

那时候，我意识到这样下去不行。和这位C先生相处，如果用惯用的方式武装自己之后，说"我们也知道一些呢"，会让他笑掉大牙。他在行业里做了20多年，你学的再多，也不能和他比。因此，我只有一个选择：认怂。

于是我硬着头皮去找他，开门见山地说：C总，您在行业经验丰富、名声远扬。您一眼就看出来了，我们的确是门外汉。但是我想，既然我们在做现在的工作，就希望能对您和您的团队有用。我们的弱点很明显，我们没有您和您的一线团队这样的市场经验，但是我们也有优势，就是可以和您一起推动一些平时不好推动的战略和业务层面的转变。您看，在我们的项目范围内，在哪些方面能切实帮到您？

这样承认我们没经验，和他的团队在这方面相比"不行"，就好像用针在C先生吹得鼓鼓的气球上扎了个小眼，气很快就撒出来了。C先生揶揄了我几句，嘲笑了一下我的博士学位，然后就打开了话匣子，说了很多我想不到的问题和他的想法。其实他有他的困境，就是他虽然很熟悉市场，但是公司总部的一些部门不理解，这对他的工作造成了障碍，他很难调动所需的资源。

因为我不得不用"敞开"的心态进行这一次谈话，于是我奇迹般地发现C先生也"敞开"了，说了自己真实的困难和想法。在这个基础上，我们对项目的方向做了调整，开始了和C先生的团队完全不一样的互动模式。几个月后，项目顺利完成，我和C先生也建立了信任关系。

这个"敞开"的实质，就是从说到听。

说的状态往往是防御性的，是证明"我行"的状态，非常以自我为中心，其实也带有隐形的进攻性。因此，别人只能挑战你：你表现得这么厉害，那我就试试你到底有多厉害。我们需要调整状态到"我就是想知道你的问题和困难是什么，以及为什么会出现，我怎么才能帮到你"。这和"我知不知道、厉不厉害"没关系。

一旦我们调整到"敞开"倾听的状态，就会发现对方也是"敞开"的，你可以听到他们真正的想法和真正的困扰。

开放性的问题寻求的不是表面的答案，而是和客户一起"走"一趟，一起面对棘手的真实问题，特别是对方不愿意面对的难题，进而找到解决的路径。

在"人"的层面，"敞开"才可能有联结，有联结才可能有信任，有信任才可能有"事"的层面的变化。

承认"我也不知道"，再进一步敞开，可以通过分享自己的痛苦和纠结与对方产生联结。其实，当我们分享自己"弱"和"不堪"的体验时，就是给对方一个张开双臂的邀请，对方会意识到他也可以对你这么做。事情的层面才能往更深处推进。

C 先生"逼着我"学会了"放下"和"敞开"，在职业生涯里向上走了一个台阶，我对此无比感恩。正因此，我才了解他在"人狠话不多"的背后，其实是一个非常善良、侠义的人。他和我分享为什么在医药行业工作，是因为他年轻时遇到的一个荷兰老板在西藏收养了两个孩子。别人收养都是挑健康的，而他收养的孩子都不健康，其中一个患有眼部的癌症。在之后的很多年里，他们都在照顾这个病孩子。C 先生非常不理解，问他为什么这样做，这不是给自己增加负担吗？没想到荷兰老板说：不是这样的，这两个生命是上帝送给我们的最好的礼物，我们收获的远比付出的多。C 先生说那对他有特别深刻的影响，于是他也开始用不同的视角看待人生。

在讲这个故事时，我看到他的眼角泛着泪光。如果没有之前的"敞开"，我怎么会知道那个居高临下的严峻老头的内心如此柔软？所以**"敞开"就打开了一片新天地，能看到更真实的人和内心。做到这一点，才真的能"领导"。**

当然，我们能敞开接纳别人的前提，是先看见和接纳真实的自己。如何才能面对真实自我？书的第五部分会更多地提到。

做镜子，不做海绵

做"教练"的另一个对象是周围的同事和员工。

我们常常以为，做更高层的领导需要的是"我很厉害，我能解决外面的问题"。

但其实，做领导更需要的是内功。做"教练"便是不仅自己做内功，还可以支持周围的同事做内功。

我们每时每刻都生活在关系里。几乎所有人在职场都会有人际关系的困惑。其中一个重要的方面，就是如何对待别人对我们的评价。

职场人，特别是女性，非常在乎别人对我们的评价和态度。不管别人说什么话，我们往往都会代入，也往往会有很大的情绪起伏，甚至就像海绵一样对这些评价照单全收，吸到自己身上，最后自身变得越来越沉重。

一个重要的成长就是意识到别人说的话都是他们内心的投射而已，和你并没有关系。我们需要做的，不是见什么吸什么的海绵，而是一面镜子，将投给你的评判反射回去。

做镜子的这个转变也是成为"教练"的核心能力。一方面需要我们自己内心清明，可以关注周围人的底层心理状态；另一方面，是相信对方可以凭借自身的力量去他应该去的地方。要想做到这一点，可以借助一个重要的工具，**不是给答案，而是问问题**。我在麦肯锡成长关键期的心态转变，其实都是被领导这样问了好问题的结果。

如何问？

怎么在一场"教练式对话"中做到这三点呢?给大家举个例子:

我想换一个岗位。

哦,为什么?

因为很多工作完不成,我觉得我不能胜任这个工作。

哦,为什么不能胜任呢?

因为我能力不够吧。

为什么这样想呢?

因为同事们好像都能比较轻松地完成。

是这样吗?你知道他们的状态吗?

感觉都比我的状态好。

你知道他们的状态吗?

……并不知道全貌。

你为什么觉得是自己的能力问题呢?

我在这方面没经验。

没经验是最要命的问题吗?

也不是吧,可以学。

那你觉得你最大的挑战是什么呢?

不知道怎么开始学,找谁学。

周围有你觉得可以学习的对象吗?

有啊，但是我不能问那个人。

为什么呢?

她很忙，我也不敢问。

为什么不敢问呢?

我觉得会耽误她的时间。

如果不问，做不出来是不是更耽误时间啊?

是啊，但我还是不敢问。

为什么不敢问呢?

我觉得没资格。

为什么没资格呢?

她这么忙，我问的问题有时候是很初级的。

如果你去问了她，你觉得最差的后果是什么?

是觉得我浪费她的时间吧。

这个后果差到不可接受吗?

也不是。

好，那要不要试试?

这段对话可能会有不同的结果，可以是想到了其他求助路径，也可以是有了勇气去沟通，但其核心是在一团乱麻的压抑状态里，弄清楚困扰内心的究竟是什么。比如，我们从这段对话中可以看到，不问的核心是不自信，而不是对方忙，解决方案也并不困难。

在这里有两个原则，**一是带着善意，放下评判，以无限可能的眼光看眼前的人；二是不要急于给出自己的方法和答案。**相信每个人只要愿意向内看，都有能力找到前进的路径。你只需要做一个能展开对话的伙伴。

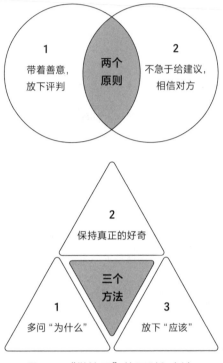

图 4.1 "做镜子"的原则和方法

前文讲到的项目经理、新加坡人 Connie 在我愤愤然吐槽领导、要离职的时候，和我的对话就是教练式的，而且是一次非常有效的谈话，它让我调整了心态，愿意去成功并为之付出努力。

到这里，我走过了领导力的三个阶段：做事、建造和教练。第四阶段，即激发和引领，是我多年后才开始意识到的。

现在这个话题先告一段落，因为在职场工作几年的我，要考虑生孩子的问题了！

觉察练习 · 敞开

你尝试过全然倾听吗？

请选择一个人，对他 / 她进行 10 分钟的倾听，不评判、不打断，表达理解和陪伴就好。

你在全然倾听的时候有什么感觉？

你心里有哪些事是不想和别人分享的？不妨尝试一下倾听自己，做"问自己五次为什么"的练习。

扫描本书封底二维码关注"奴隶社会"公众号，在消息栏发送"**敞开**"，即可收到我的更多分享。

前文讲到过女性的难题，其实女性在职场最大的难题之一，就是要做妈妈。

我要说，这个难题虽然落在女性身上，但远远不是女性的问题，而是很多国家存在的系统性的社会公平问题。前文提到 *The Second Shift* 这本书，书名的意思就是夫妻都工作的家庭，女性在白天的工作结束后，还要在家上第二班岗。这本书当时引发了社会性的大讨论。从该书的第一版出版到现在，30 多年过去了，职场妈妈面对的境遇并没有真正意义上的好转。因此才有了女性"特有"的"家庭与事业如何平衡"这个万古难题。

在大环境之外，对每一个女性来说，成为母亲也是全方位的挑战。

我有三个孩子，分别出生于 2010 年、2012 年、2014 年，都是我在麦肯锡的这几年。我用了 6 年成为合伙人，包括中间休的产假——**听起来似乎挺励志的，但其实大家遇到的所有关于孩子的纠结和挣扎，我都经历过，而且仍在经历。**

最开始的很多年，我不想要孩子。

想要孩子的时候，我却发现怎么也无法怀孕。

终于怀孕了，身体的各种反应让我很难受，觉得自己太伟大了，等孩子出生就好了。

孩子出生了，我又发现得围着新生儿 24 个小时连轴转。

孩子长大一点儿，我发现得面对各种养育问题，启蒙、早教，目不暇接。

之后要上幼儿园、小学，还要度过青春期。如此一步步演进，无穷尽也。

我和一位大姐聊天，她说等孩子上大学了，都不一定能彻底放下"到下一阶段就好了"的想法，因为孩子不管在什么年龄，都有相应的问题，母亲也都有对应的角色。

路都是一步步走的。我们从最初的阶段开始聊。

第二部分

面对孩子，
从不敢生到三娃妈妈

第 5 章
为什么要孩子？

人生这么苦，自己都没活明白，

为什么生个孩子，让他来世上遭罪呢？

不想要孩子的八年

我和华章在 2001 年结婚，我家老大出生于 2010 年，中间隔了八九年。那段时间为什么没要孩子？因为我没想清楚为什么要孩子。

我没当妈妈的时候，其实很不理解那些妈妈：所有的社交平台头像一夜之间都换成孩子的照片，而且一见了你，就特别想给你看她孩子的照片。我那时候最害怕这个——哇！又来了。不管这孩子长什么样，你都得说"哇！好可爱"。这是唯一正确的答案。

我那时觉得，一旦女人成了妈妈，生活就丧失了风度。身材走样不说，还会丧失自我，谈论的都是"屎尿屁"，周末都是陪孩子干些看似很无趣的事情，聊的都是上学、辅导班、竞争，听着都累。那要孩子干什么呢？更何况，养孩子需要钱！年轻的时候自己都养不活，还要考虑赡养父母，养娃的优先级肯定得往后排。

不过说了许多，还不是最根本的原因。根本原因是，我那时候对世界的前景感到很悲观：气候变化、空气污染、各类社会问题，觉得自己无能为力。我是生物专业的，知道人有太多病痛，能健全、健康就是一件中大奖的事。另外，就我自己的童年经历来看，我从来没觉得自己是个无忧无虑、天真烂漫的孩子——从记事起就有各种各样的烦心事、挣扎和痛苦，从幼儿园到大学……人生这么苦，自己都没活明白，为什么生个孩子，让他来世上遭罪呢？

所以我结婚八年了都没有要孩子。

那为什么第八年准备要了呢？

是两段对话改变了我的想法。

我们有一个多年的朋友，当年儿子 6 岁。我问他：你觉得有孩子到底有什么好处？他说的一句话触动了我：有孩子以后，你才真正觉得有了自己的家庭。

后来，我又和另外一个朋友聊天，他有一对双胞胎儿子，一个叫叮叮，一个叫当当。我说到我对世界的悲观理论，他说：你有没有想过，也许你的孩子能改变这个世界呢？世界的改变不都是人推动的吗？那也是我印象深刻的一番话。

大约在那个时候，*Stumbling on Happiness* 这本书刚问世，中文叫《撞上幸福》，是哈佛大学心理学家丹尼尔·吉尔伯特写的，其中讲到要孩子这件事。从心理学的角度看，和任何事情一样，**我们做决定是基于对未来的预期**。很多人要孩子是因为想到了多年以后含饴弄孙的美好，而实际上在孩子长大的 18 年间，事实离这种美好差了十万八千里。但人就是这样做决定的，是我们的大脑和心理机制使然。所以用这个理论分析一下自己，要孩子的决定是因为我对未来的预期发生了变化，从悲观视角变成了乐观视角（觉得孩子可能，也可以改变这个世界），以及有了对幸福的预期（不能免俗地梦想未来可以含饴弄孙）。

所以，我们准备要孩子了。

————————

2010 年，我们的第一个孩子出生，之后这些年，我真的是无比感恩自己当初那个决定。当然有很多苦和累，但是从生命的角度看，孩子既是我们的延续，更是我们的镜子，用不经意的方式照见我们自己真实而完整的生命状态，让我们看到不曾看到的自己，也让我们理解了**生养孩子实际是每个成人的自我完成之旅**。

从对孩子的期待里，照见自己

和所有妈妈一样，从得知怀孕的那一天开始，我就想象我的孩子会是一个什么样的人，以及我希望孩子成为一个什么样的人。

我这番思考算是做了三遍，并且一直会思考。其间几次改变想法，每次都有阶段性的答案。

我没孩子的时候，设想着对孩子的期望，是做一个"对社会有用的人"。

等真有了孩子，从各种妊娠反应到照顾新生儿的劳累，觉得"做一个对社会有用的人"离怀抱里这哇哇大叫的一团肉真是毫无关联。我开始学习母乳喂养，照顾"屎尿屁"；学习爱与自由，践行"好妈妈胜过好老师"；学习敏感期的知识，关注游戏力和情绪管理；去了解蒙台梭利、华德福、瑞吉欧等的教育理念；学习抚触、推拿，如何处理过敏问题……

在我的各种挠头和无奈中，孩子长大了一点儿。我刚要开始焦虑孩子的未来，就遇到了一个法宝。华章的大学师兄王占郡于 2009 年写了一本书，叫《让孩子拥有最快乐的一生》。当时他的孩子已经 16 岁了，他在我眼里，在培养孩子这方面是功成名就的。他提到的培养孩子"成功"的四条"低标准"，让我大开眼界。

> → **不生病**。没有因为父母照顾不周而出大的健康问题，孩子自身的原因除外。
>
> → **不犯罪**。孩子有正确的是非观，不做违法的事。
>
> → **不自杀**。青少年时期不离家出走、不自杀，心理健康。
>
> → **能自食其力**，快乐生活。

这四条标准乍一看，太低了吧？做到岂不是分分钟的事？想到这里，我突然感到轻松很多，觉得自己肯定能做个成功的妈妈了。

不过仔细想想，有正确的价值观、健康的心理、自食其力的本事、快乐生活的能力，能做到那就是真正的"人生赢家"了，谈何容易？

王占郡的这本书对初为人母的我影响很大。它让我缓解了很多不必要的焦虑，并开始关注教育里真正重要的事。

到 2013 年，我开始接触自我探究，考虑如何能成为一个更快乐的自己。那时候，我开始意识到，**人最终的成功不是外在的标签，而是灵魂和外在一致，是活出人生的无限性。**

而从这个角度讲，孩子生来就是"成功"的。孩子天生就是"自由、无限"的，认为自己无所不能，时刻生活在想象里：过家家能玩一天，拿着一根树枝就可以将其想象成她想要的任何东西，一堆沙子就可以是整个世界。孩子天生也是无畏的，不知道什么是害怕，为什么要害怕，于是什么都要尝试、要突破边界，而且乐在其中，不会退缩，屡败屡战。所以说，每个孩子都自性光明。

而成人向往的"成功"，讲到深处，无非是能活得像孩子一样——即使有了时间的概念，还能够"活在当下"；即使了解物质需要的必要性，还能不忘追求自由和无限；即使知道险恶，还能无畏；即使看到了各种问题，还能没有分别心地投入。

有了这番醒悟，我对孩子的期望就又变了，希望他们不论外在如何，都能成为一个"灵魂和外在一致"的幸福的人。希望他们每个人的灵魂都能够最大限度地绽放，在这个基础上吸收知识，锻炼能力，认识世界，在和世界的相处中推动良性的发展。

如何能让孩子成为这样的人呢？其实只有一条路，就是父母自己在这样生活。

因为孩子心理状态的底色，不是靠上课、说教形成的，而是他们从生活的"场"里吸来的。这个"场"，就是他的周围成人的真实状态：成人的生活态度、世界观和自我认知。我们的状态构建起的家里的"场"，对孩子的影响其实远远大于有形的"课程"和说出来的"道理"。

所以说，养育孩子是成年人的自我完成之旅。

我们都在路上。

觉察练习·**孩子**

写一下，你对孩子有什么期待？

然后诚实地问自己，在你对孩子的期待里，有多少是以孩子为起点的，有多少是在投射你自己的人生遗憾？

这些遗憾是什么？也许现在可以开始尝试弥补自己的缺憾，而不是投射到孩子身上？

扫描本书封底二维码关注"奴隶社会"公众号，在消息栏发送"**孩子**"，即可收到我的更多分享。

第 6 章
做妈妈的三个阶段和三个法宝

没有"交集",而这三个身份都是你一个人的。

无法"两全"的职场妈妈

孩子一出生，我们就成了妈妈，就有巨大的工作量。我们在职场上，也立刻成了职场妈妈。

但是妈妈这个角色，是需要慢慢"成为"的。

首先要承认这很难，对每个女性来说都是全方位的挑战。

为什么难？请大家先和我做一个练习。

在纸上写下一个词：女性。

然后把你看到这个词后，最先浮现在脑海里的 3~5 个形容词写下来。

然后写上：职场专业人士。

做同样的事：把你看到这个词以后，最先出现在脑海里的 3~5 个形容词写下来。

最后写上：妈妈。

做同样的事：把你看到这个词以后，最先出现在脑海里的 3~5 个形容词写下来。

下面是我写的：

女性：美丽、智慧、温柔。

职场专业人士：干练、高效、强大。

妈妈：温柔、关爱、无处不在。

不知道大家的答案是怎样的，我想大概率和我的差不多，一个明显的特点就是女性和职场专业人士，特别是妈妈和职场专业人士的描述并没有多少交集。

这不是外界对我们的定义，而是我们自己对这三个词的感受。

这"没有交集"展示出来的挑战，就是职场女性，特别是职场妈妈，在职场遇到的根本挑战——没有"交集"，而这三个身份都是你一个人的，这就意味着你只能成为"合集"。而成为"合集"似乎是不可能完成的任务，你怎么可能在职场高效、干练、强大，对孩子来讲又无处不在呢？你怎么能一方面很干练，另一方面很温柔呢？

这种"精神分裂"似的存在，就是大部分的职场妈妈每日面对的真实困境。

11 年，3 个孩子，3 个法宝

我做妈妈的 11 年，几个不同阶段各有"真相"。

回顾有孩子以来的 11 年，很多时候感觉是一片混沌——孩子在襁褓里的照片仿佛就是昨天照的。但是静心回顾，的确有几个不同的阶段。**每一个阶段都有不同的挑战和"真相"，也有走出来的路径。**希望这些分享对做父母和要做父母的朋友有帮助。

第一个阶段：新生
妈妈需要爱护自己、保存体力

这个阶段，主要是从备孕到孩子 14 个月左右。

这期间最大的挑战是身心的各种变化和不适，需要适应一个孕育和抚养生命的崭新状态。

为什么要到孩子差不多 14 个月大，因为一般孩子在这个月龄上下学会走路，开始自主探索，由此开始了和我们在物理层面分离的过程。

对很多女性来说，怀孕时可能是我们头一次如此关注自己的身体，开始有前所未有的深刻觉知。

觉知从身体开始。怀孕阶段会给我们带来很多不适和疼痛。对我而言，瑜伽和游泳是能有效缓解不适的。**不论大家用什么方式，都记得在这个阶段好好关注和照顾自己的身体。**

在孩子降生之后，最大的挑战是生活不规律，因为孩子有自己的节奏。我头一次意识到，做妈妈要几乎完全放弃自己的需求，不断地回应另外一个生命的节奏和需要。随时待命的状态是非常辛苦的，我经常会发现体力不支。那时候，我觉得返回职场似乎是一件永远不可能做到的事情。

因为这些全方位的挑战，数据表明很多新妈妈产后会情绪低落，其比例很高。

因此，我想给新生儿家庭几个建议。

爸爸们，多学习、多参与。

爸爸的角色对孩子的健康成长和家庭的幸福是至关重要的，不要自动"靠边站"，而要积极参与。在新生儿的阶段，爸爸们要提醒自己，几乎超过一半的新妈妈会有产后情绪低落和抑郁倾向，因此妈妈有什么情绪就让她表达，你负责接纳。最重要的是让她在有限的时间里吃好、睡好，心情舒畅。

妈妈们，好好爱自己。

一定不要忘记照顾好自己。最重要的一个是吃饭，一个是睡觉。我那时候是孩子睡我就睡，不对平时的规律和节奏有执念，不管是白天还是黑夜，不管是两小时还是四小时。

提醒自己，困难总会过去。

新生儿时期每天都会有新问题，不断提醒自己，所有眼下看起来非常让人焦虑的问题，都会过去的。

我家老二鲁迪小时候有很严重的湿疹，看到他满脸起的小疹子此起彼伏，一天天过去，情况越来越严重，我觉得自己特别没用，终于有一天大哭一场。但是我哭完就开始想办法，问朋友，去医院，线上线下地查。后来华章找到一种神奇的湿疹膏，竟然真的治好了。回看这段时间，我想最赋能的事情就是：让自己知道，不管眼下看起来多么揪心的事，都是会过去的。

尽早开始康复训练和锻炼身体。

我大概每次都是产后一个月就开始主动运动，从走路开始。另外就是每天坚持做腹肌训练。很多读者朋友知道我有马甲线，其实也是这段时间坚持锻炼的结果。

孩子4个月大，我就要回职场了，由此进入背奶期。

做背奶妈妈，得在各种环境里泵奶，然后冷冻奶袋，消毒器具，是个无比繁杂的工程。当然，最头疼的就是出差。走到各个地方，就会真实地感受到不同的地区对女性母乳喂养的支持度。发达国家和地区的很多公共场所都有专用的母婴室；而在国内各地出差时，我最常去的就是厕所。

我的三个孩子，分别母乳喂养到6月龄、10月龄和13月龄，现在回想最自豪的事情，就是这么多年都没有因为出差浪费一滴奶，也因此有过无数奇葩的经历。有一次去陕西县里出差，住在县城旅店。我泵完奶之后，问旅店有没有冰箱，他们说没有，只有后厨的大冰柜。打开冰柜，里面赫然竖着半扇冻猪，我安抚一下自己，让几小袋奶"依偎"在巨大的半扇冻猪肉旁边。虽然母乳是放在消毒且密封的袋子里，应该不会有卫生问题，但是这个场景依然让我印象深刻。

还有一次出差，到了国内某三线城市的机场，没有母婴室，我就找了个厕所，各种忙乱后搞定。然后，我乘出租车去客户那里开会。等我坐上车，理理身上的正装，舒一口气，正要休息一会儿时，我蓦然发现手指甲缝竟然都是黑的！于是赶紧清理……再"光鲜亮丽"地去开会。那些黑指甲，是那些年表面"高大上"的职场妈妈生涯中无数的"真相"之一。

我想，可能所有的职场背奶妈妈都有类似的经历，回头看是笑谈，但是真正值得推动的，是各地、各工作单位，特别是公共场所对母乳妈妈的支持。

第二个阶段：幼儿
妈妈需要开动脑力、理解儿童

这个阶段，从孩子十三四个月大到 5 岁左右。

做妈妈第一个阶段的挑战，主要是身体、情绪、精力上的适应，我们需要对孩子无微不至地照顾和随时随地地回应。

第二个阶段最大的任务是理解儿童的发展规律。我们会发现**儿童并不是小一号的成人，他的行为逻辑、情绪模式都和成人很不一样**。比如，孩子在一定年龄时对秩序的敏感、对情绪的表达方式，都有内在的科学发展规律。

安迪两岁多的时候，有一次我们在外地玩，住在酒店里。睡前，我递给他奶瓶让他喝奶，但他就是不要奶瓶，莫名其妙地大哭。酒店隔音不好，他哭的声音又大，搞得我手足无措。我逼着自己冷静，想起来关于孩子秩序敏感期的知识，又回想给他奶瓶的过程：是我先打开奶嘴外面的盖子再给他的。于是，我把奶瓶的盖子盖上，再重新给他。他一下子就不哭了，自己打开盖子放到一边，开始喝奶。那个瞬间我现在还记得，感觉就是：哈，书上说的是对的！好神奇啊！

在此推荐几本那个阶段对我很有帮助的书，孙瑞雪的《爱和自由》和《捕捉儿童敏感期》，还有海姆·G.吉诺特的经典书籍《孩子，把你的手给我》。

这些书都帮助我更科学地理解幼儿发展的规律，以及成人的回应方法。了解这些规律之后，对我带孩子影响最大的方法，就出自劳伦斯·科恩的《游戏力》。

我从书中学习到几个概念。首先，孩子的语言不是说教，而是玩，所以玩是孩子天然喜欢的。其次，玩有很多深意，孩子能在游戏里找到自信。对孩子来讲，大人在生活里是一个无比强大、往往充满了权威的存在，而在游戏里面，大人的形象是"蠢傻笨"，在他们假装弱势的样子里，孩子能感觉到自己有力量，这种**心理的正面激励对孩子培养自信心是非常重要的**。因此，游戏是孩子表达和释放情绪最好的通路。

游戏力其实随处可用。父母无论遇到什么样的挑战，想想有没有什么游戏可以解决。孩子不喜欢刷牙，你就把自己当成刷牙机器人，让孩子指挥你，于是你就会发现孩子在欢声笑语里把牙齿刷了。和孩子出去散步的时候，你可以变成蒙眼人，说：哎呀，我看不见了。你要表现得很紧张，让孩子给你指令，你就会发现孩子能特别有责任感地把你引到家。

你也许会说：我这么忙，哪有时间玩游戏?! 而真相是，你不用游戏力的方法，花的时间会更长，而且会不愉快。家长可能首先想到的是给孩子讲道理，或者生拉硬拽、恐吓。然而，用过这些方法的人大概都知道，它们并非一直有用，而且就算暂时达到了目的，大家的心情也都不好。

而游戏力能省时间，又有好的情感互动，何乐而不为呢？用游戏力最大的困难不是技术，而是需要家长转换心境，给自己几秒"抽离"当下要孩子"听从安排"的执念，**看见孩子，蹲下来，用孩子能懂的方式和他交流。**

这些交流、接纳、游戏，其实远远不是表面看上去的几句话或几个动作，而是你和孩子在构建真实深厚的情感联结，是孩子人生后续发展的重要基石。

第三个阶段：儿童
妈妈要用"心"和孩子在一起

这个阶段是从孩子 5 岁到 10 岁。

写到 10 岁是因为我家老大今年刚 11 岁，未来希望有机会和大家分享孩子再长大一点儿的经验。

这个阶段孩子的体力、智力、能力，天天都在增长。你会发现你对孩子的期待也很快地在增长，以前看到孩子能走路、能骑车就感到惊喜，现在会觉得这远远不够，各种焦虑和期待都会产生。

这个阶段对我影响比较大的书是《父母的觉醒》和《家庭的觉醒》，作者都是沙法丽·萨巴瑞。这两本书都是让我们看到表象以下的孩子，看到孩子的状态其实是我们自己状态的延伸；看到我们对孩子的期待和投入，反映的往往不是孩子的需求，而是我们内心由不安全感产生的需求。如果不意识到在这些互动深层背后的那个自己，我们的很多爱给孩子传递的会是压力和负担。

如果说第一阶段主要是靠体力，第二阶段开始加上了脑力，那么这个阶段就又加上了心力。

这个阶段重要的是两条，第一是随时提醒自己，最重要的是和孩子有深度的联结和沟通；第二是开始有意识地放下自己的目的，和孩子对话。一旦做到，你就会发现孩子有非常多让你惊喜的好主意，你和孩子可以共同前往一个你不曾想象的世界。

2020年孩子快开学的时候，我们要买一辆二手车，10岁的安迪就问我：妈妈，为什么我们不能买一辆坦克？我觉得如果你开坦克送我去上学，那会是非常酷的一件事情！

我当时第一个反应是：胡闹！买什么坦克？

后来我想，为什么不可以呢？于是我对儿子说：这是个很有意思的想法，我们讨论一下。你看街上为什么没有人开坦克呢？

于是他开始查资料，一会儿来告诉我：因为坦克太重了，会把路轧坏；坦克有履带，履带会把地弄坏。

我说：那我们看看有没有用轮子的坦克。安迪真的去网上查了，的确有用轮子的坦克，还有二手坦克，价格是几万美元，和小轿车差不多，并非不可以接受。但是他有了另一个发现：大家不开坦克的主要原因是耗油。按照他看的那款M1艾布拉姆斯系列主战坦克和网上相关数据，他算出来该坦克的耗油量大约是一般车的 40 倍，是一辆混合动力车的 80~100 倍。我们讨论一番，放弃了买坦克的计划。

这样的对话，我们都可以开展，**只需要放下自己的声音，保持开放的心态，跟随孩子的思路去思考他的问题，就会得到意想不到的惊喜。** 孩子在这个过程中其实会做很多研究，也能学到很多东西。

成功的父母，只需做对一件事

回看做妈妈这些年，我最大的感受就是和育儿相关的知识技能太多，似乎都很重要，但时间、精力、财力有限，怎么做都远远不够，所以觉得自己不行、有失败的匮乏感似乎是常态。

后来走入教育行业，我才慢慢明白，**其实做好父母，不需要成为超人，因为最重要的其实只有一件事，就是和孩子保持心灵的联结。** 孩子喜欢你、信任你，有话愿意和你讲，只要这道门是打开且通畅的，你和孩子什么问题都可以一起面对、解决。反之，如果没有这条路径，就算孩子进了名校，有了好工作，看上去很完美，也会有深层的问题，这些问题会在生命的其他方面和其他阶段呈现。

2018 年，在一个教育论坛上，某知名中学的副校长分享过一个数据，让我很震惊。她说去耶鲁大学读本科的中国学生，有40% 无法毕业。如果你是这个学生的父母，拿到耶鲁大学的录取通知时，你会多么骄傲和兴奋，但是后来该生因为各种情况无法毕业，焦急、担心只有你们自己知道。

所以名校本身没问题，能就读当然好，但是做父母的要看到本质而不是追求表面，要追求长远而不是一时。

我于2015—2019年做过罗德中国奖学金①的评委。从2015年起，罗德奖学金每年开放4个名额给中国籍的学生。可以想见，他们都是非常优秀的学生。

2018年，有几位奖学金获得者暑期回中国做了一次活动，聊了自己成长过程中父母起的作用。这些孩子的成长路径不同，都不是来自一线城市，但是他们分享的成长历程都有一个共同点，就是家长和他们在心理层面的深度联结。

反观青少年的心理问题，一方面原因非常多样且复杂；另一方面，和父母之间失去深度沟通的意愿和渠道，是重要的影响因素之一。所以，父母能和孩子有一条心灵沟通的渠道，有时候是可以救命的。

如何做到心灵的联结？只要做到一件事，就是让孩子和你在一起的时候有十足的安全感。

————

《游戏力》的作者科恩博士在"一土"做分享，开场就问：你成长的过程中，有没有这样一个成人，让你觉得你是被完全接纳的，你做什么都是可以的，都是被接受的？当时在座的全是做父母的，举手的只有一两个人。

———————

① 罗德奖学金是牛津大学历史悠久的一个奖学金，支持世界各地读完本科的杰出青年去牛津大学读研或读博。该项奖学金久负盛名，名额稀少，竞争激烈。

然后科恩说：我希望你的孩子长大以后，如果有人问这个问题，他们可以很高地举起手说"我有，那就是我的爸爸妈妈"。

我当时听了这句话，忍不住泪湿眼眶。

这是什么？这就是安全感，就是我什么都可以说，说什么你都会听，而且不管我说什么、做什么都可以被接纳。

前文讲到的苏珊·查尔斯，也是从小就被她妈妈完全接纳的。

这种接纳就是我们说的无条件的爱。我们常说要给予孩子无条件的爱，但其实往往是有条件的——你要做好这个，要做到那个，要达到什么目标，要超过什么水平，我才爱你。

我们的生活里有无条件的爱吗？有，孩子对我们就是无条件的爱。他们不会因为你今天工作不好被领导批评了，明天升职没成功，后天被开除而少爱你或者不爱你。他们永远那样爱你。所以学习接纳最好的老师，就是眼前的孩子。

你也许会说，我要对孩子的前途负责，怎么能不要求他呢？

要记得，人都是有上进的内在力量的，而上进最重要的动力是自我驱动力。自我驱动力从哪里来？是靠生发而不是靠培养的。生发最可能发生在被接纳的有安全感的环境里。**所以，构建这样的安全感，就是对孩子前途最负责任的做法。**如何做到呢？有几个方法。

不要只关注孩子做了什么，要更关注孩子的精神状态

其实孩子是不是平和高兴，我们每个人只要愿意去感受，就都能感受到，不需要是心理学或教育学的专家。

每天早上，为了孩子能有健康的身体，我们都会想到给孩子吃

有营养的早餐。孩子的心灵同样需要一顿"营养早餐"，这里的"营养"就是爱、接纳和认可。所以每天早上你忙碌的时候，除了饮食健康，也要关注孩子的"精神早餐"，让他们带着好心情出门，开始新的一天。

同样的道理，每天下班接孩子或者回家看到孩子，提醒自己为又能看到孩子而高兴，而不是只问孩子在学校取得了什么成绩。做到这一条似乎很难，我给大家提供一个方法。所有的父母恐怕都有过孩子可能走丢的噩梦。这在我身上也发生过：去一趟大卖场，突然看不见孩子了，我无比紧张，心急火燎地一排一排的货架找。在快要绝望的时候，突然在一条货架走道里看到了孩子，那一瞬间，你是什么心情？欣喜若狂吧？那时候你不会想：哎哟，你钢琴还没练，作业还没写完。你那时候想的是，只要找到孩子就好，是吧？

可是我们为什么要等孩子走丢了，才会这样想呢？不妨经常提醒自己，每天用这样的心情去看孩子：看到你真好！你在真好！不带任何附加条件地欣赏他们。

放下自己头脑里的声音，学会倾听

孩子说的很多话，我们其实是听不进去的。我们似乎在陪伴孩子，其实并没有。

不倾听就不可能接纳。所以，试试和孩子在一起的时候，放下手机，更重要的是放下自己脑子里想的事情，只是认真听孩子说什么，用心听，再给予回应。

这对很多职业女性来说是很难的，因为我们的脑子里有很多声音，说到一件事，我们马上就会想到如何执行，下一步是什么，再下一步是什么，直到想到结果，甚至继续想结果不行的话要怎么办……

但和孩子在一起的时候，我们要争取让脑子安静下来，不在高速运转的逻辑里打转，而是全身心关注眼前的孩子。一旦做到，你就会发现，孩子会带领你前往一个充满惊喜和创造力的世界。

提醒自己，多让孩子赢

前文讲到游戏力，其底层哲学是把自己放得比孩子低，让孩子显得很聪明、能干、高大。这可以总结成一个原则，就是提醒自己，多让孩子赢。

孩子的想法在大人看来肯定是"漏洞百出"的，我们很容易指出来他为什么是错的，这对于职场强人妈妈来说更是职业习惯。但我们要时刻提醒自己，孩子有独立观点的时候，就让他赢，你可以问问题，让他进一步思考，而不是上来就说这样不对。哪怕没时间，也要给他机会有理有据地说为什么这样想。如果有条件，就找机会满足他们的要求。

有一次我们去一个农场玩，孩子们看到了可爱的小乳猪，于是非常希望能在家里养猪当宠物。我的第一反应是，这怎么行呢？后来想想，不妨让他们说说自己的想法。于是我和孩子们说：那你们写一份申请书吧。然后就有了两篇很精彩的小文章，孩子们分享了为什么想养猪，具体怎么养，钱从哪里来，如何清洁，等等。虽然后来因为没有找到卖小猪的地方，计划落空，但这次构想带给孩子们的思维锻炼，以及我们一起敞开交流的美好体验，都是很珍贵的。

你可能马上会想，如果孩子提的要求不合理，我还要满足他，那不是没有原则的溺爱了吗？**其实孩子的要求在他的世界里永远是"合理"的，他不知道我们成人世界里的规则，也意识不到这是不合理的。**所以，我们不需要给孩子贴一个大标签。我们当然应该设定界限和原则，在界限之内，有很多方法可以让孩子"赢"，让他们在这样积极的心理体验里构建自信。

我家老二有一段时间，每次上厕所都害怕，希望我能陪着他。我一开始是抗拒的，和他讲道理：你长大了，不需要妈妈陪了。但我后来想，就几分钟的事情，有什么不可以呢？于是我就陪他去。每次只有他和我，我们说一些傻话，过了很高兴的几分钟。几天之后，他就不需要我陪了。

———

所以说，**养育孩子是一个会让人变得非常谦卑的过程，我们需要的是放下自己的执念，鼓励和接纳孩子的表达，让他们赢。**

不局限于对孩子，我们如果经常做这样的转变，也会在职场上更高效。因为放下"我执"，才可以看到事情的真实面貌，才能做出真正高质量的决定，这其实也是领导力的精髓。

所以如果我们睁开眼睛，就会发现孩子带来的都是大智慧。

回到这一章开头的那个问题，用三个词描述妈妈这个角色。你看，做妈妈，其实是体力、脑力、心力的全面提升，所以怎么能没有交集呢？妈妈这个词本身，就是这三个词的"全集"，其他角色都是"子集"呢！

所以，如果用三个词描写妈妈、女性和职场专业人士的"交集"，我想，可以用这三个词：

智慧、坚韧、觉知。

觉察练习 · **养育**

如果用三个词来形容自己的父母，你会用哪三个？为什么？

如果可以重来，你期盼有什么样的童年，有什么样的"理想"父母？

问问自己，你能不能在有孩子后，成为这样的父母？从今天开始，对孩子做一件你心中的"理想父母"会做的事吧。

扫描本书封底二维码关注"奴隶社会"公众号，在消息栏发送**养育**，即可收到我的更多分享。

第 7 章
职场妈妈需要的，是一个"老婆"

没有老婆，也有办法让自己过得不太差。

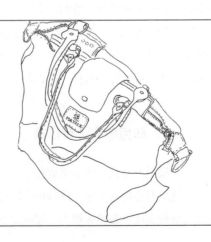

追求不到的"平衡"

妈妈很了不起，职场妈妈很了不起。

但我们眼前都有那个难题：工作和母亲的角色如何平衡？

简单直接的答案是：平衡不了。

因为按照现在的社会和职场规则，解决这个困境的出路，就是职场妈妈也有一个在家带孩子的"老婆"。你在工作的时候，家里有一个智慧能干的人在照顾你的孩子。这听起来像天方夜谭，职场妈妈没有老婆，那怎么办呢？

也不是无路可走。即使在外界有众多不利因素的限制下，你也可以生活得不差，只要从自己出发走这条路。

不要对平衡有执念，生活最终是取舍

不要幻想自己是优雅的天鹅，不论在什么风浪下都可以保持平衡。如果能做到，那也是装给别人看的。生活的原则就是一切都从自己的当下出发。生活就是由一个一个当下的觉知和回应连起来的。你每次感到焦虑、无助的时候，提醒自己，放下对未来的期待和担忧，认真地做当下能做的最好的选择，未来就会是它最好的样子。

如何取舍，有标准

我们在上一章提到养育孩子中最重要的事，是和孩子有心灵联结，让孩子在你这里有心理安全感。所以用这样的原则来指导自己的取舍，就知道应该在哪里多投入精力，哪些地方不必要，在养育这件事上就可以事半功倍。在工作里也一样，花时间理解核心问题是什么，可以少做很多不必要的工作，我们在后面章节还会讲到。

不断告诉自己，做妈妈和职场工作不相悖，还能加分

我们苦于平衡，是因为觉得工作和做妈妈这两件事矛盾。但如果用心做好妈妈，你就会发现，其实这对工作有很多帮助。因为再难搞的客户或者领导，都比小孩子容易沟通，是吧？沟通需要用脑分析对方的核心诉求，用心听懂对方更深层的情绪、意见。这恰恰是妈妈在陪伴孩子的过程中，特别得到锻炼的能力。而同时处理好公司和家里的事情，需要很强的项目管理能力，其背后是清晰的思路、高效的时间管理和稳定的心态。这些能力也是当妈妈之后不得不日益增强的。

所以你看，这些能让我们在职场上走得长远的核心能力，哪一个是做妈妈没有培养和锻炼的呢？

有意识的自我关怀

职场的优秀女性有完美主义的倾向，这在工作上当然是件好事，但放在家庭和生活里，会经常把自己逼上绝路。所以自我关怀的关键，就是放弃完美和学会寻求帮助。你要不断地提醒自己，有些事情没有那么重要。孩子偶尔玩了不该玩的玩具，吃了不好的东西，你做了一次无效的沟通，都没什么。很多职场妈妈的困境是用职场上的完美主义来要求生活而造成的。

寻求帮助同等重要。做妈妈是一个特别容易不停奉献的角色。

当你得乳腺炎的时候，最担心的不是自己的状况，而是孩子没奶吃怎么办。但是，这种担心并不能解决问题，你要做的是寻求帮助，请别人照顾孩子，自己好好休息和恢复。

我有了三个孩子后，最先被打垮的，就是那个曾经的"我能行"和"不好意思"。

忙不过来，就要主动寻求和安排帮助，求助对象除了孩子爸爸、家人、阿姨，还可以有好朋友、孩子同学的家长等。养育孩子是一个辛苦的过程，有家人、朋友互相帮扶支持，既对孩子有好处，也对每一个家庭有好处。我们后来做一土学校和线上的全村社区，初衷之一就是希望更多的家庭形成社区，一起"用一个村子的力量养娃"。

放弃完美主义，主动求助，善用社区力量养娃，都是为了构建一个支持自己的体系。说到底，就是把自己放在生活的中心。对自己好一点儿、宽容一点儿、脸皮厚一点儿，需要帮助就张口，你会发现其实有很多资源可以帮助你。

最终，你的状态好是一切的基础。状态好，就能接纳自己的真实感受和情绪，特别是负面情绪。

想哭就哭

我其实是个泪点很低的人，看小说、电影，有时候一个场景、一句话，都会让我掉眼泪。亲情、成长、不可逆的衰老，以及周围存在的不公正和平凡人的坚持，都会让人落泪。哭是一种释放，它能让我们重新跟内心连接，获得创造美好生活的力量。

有孩子之后，我的泪点似乎更低了。在孩子小的时候，自己的疲惫、孩子的需求、工作的要求和自己的情绪好多次混在一起，让我觉得无法招架，崩溃大哭。哭的时候，我觉得自己在一个黑色的大旋涡里，没有出路，但哭了一场以后，倒是能跳出来，再回头看，发现那些问题没什么大不了的。负面情绪倾倒完，反而会莫名生出一些力量。所以，**觉得招架不住的时候，不如放下自己强撑着的架子，趴下来哭一场。**

　　记得老大5岁时，有一次我要出差，他吃饭时就坐在那里，不动勺子，撇着小嘴哭了起来，说：妈妈，我不要你走，我要和你一起出差。我条件反射地说没有他的票，他说：那我们去买！我意识到自己的反应不对，于是抱住他问：你是不是不想离开妈妈？他说是，然后在我怀里哭。我那一刻特别心酸，只能抱着他，一起掉了会儿眼泪。然后，阿姨抱着他送我到电梯，我们挥手再见。

　　所以，哪有什么平衡工作和生活的超人？

　　无非是在有困境的时候，鼓起勇气直面问题，高效能地投入；孩子需要你的时候，转身蹲下来，当个"蠢笨"的大人；纠结的时候和自己对话，多问问自己到底为什么，看到自己真实的内心；低落的时候就大哭一场，允许自己展现脆弱和真实。这大概就是最重要的平衡和自愈力吧。

妈妈们的难题，其实都有答案

　　职场妈妈面对工作、生活、育儿，会有很多难题，但其实所有的难题都有答案。

难题一：我没时间！

这的确是个挑战，对所有妈妈都是如此。

但有方法解决，那就是把所有和孩子在一起的时间，都变成高质量的时间，也就是上文讲的，让孩子被看见、被接纳、被听见的时间。

时间有客观性，但是我们对时间的体验又都是主观的。你如果回想自己生活里印象深刻的事，可能事情发生本身只有三五分钟，甚至更短，是一段对话、一个表情、一个眼神，但它可能给你提供了无穷的力量。对孩子来说也是一样的：你花三分钟认真听孩子说话，效果可能超过你在他旁边心不在焉三十分钟。

还有一大块时间值得好好利用，就是周末的时间。

周末不要报满各种兴趣班，把孩子送进教室，自己在一旁看手机，而是在家里做一些你和孩子都参与的事情：游戏、对话、做手工、整理房间、做饭、计划出行，都是方法。其实说到底，就是和孩子一起生活。**生活就是最好的教育**，在生活的各个场景里动过脑子，对孩子的教育也就自然而然地实现了。

但如果你连生活的时间都没有，那的确需要调整，否则你自己也会出问题的！

难题二：老公不给力！

有无数讨论"职场妈妈"的议题，却很少有人讨论"职场爸爸"的问题，这本身就是问题。因为社会默认是妈妈在带孩子，爸爸只是帮忙的角色，往往还帮不好。

这一方面需要不断地推进社会认知的进步，另一方面，作为个人，我们并非无路可走。

妈妈们会经常吐槽爸爸们，一个简单任务教五遍，爸爸仍然不能执行到位。我也经历过这些，但是后来想明白了，要对男性降低预期——不是他们不想做好（不排除有不想做好的），而是因为他们的能力和妈妈们比实在有限。

我有一个好朋友，是降低预期方面的大拿。她说：我是这么想的，自己是个单身妈妈，带着两个孩子，找了一个男朋友（即老公）。这个男朋友不仅爱我，还接纳我的孩子！我好幸福啊！再往前想一步，不仅他接纳，他的父母和其他家人都接纳，还把我的孩子们当亲人，我就更幸福了！另一位当妈妈的朋友听了又多想了一步：对啊，他不仅爱我，还和我分担房租，出门提供司机和安保服务。我真是太幸福了，哈哈！

我听了笑得不行，但是仔细想想，这真是大智慧。

降低预期不意味着放弃，这之后的一步就是看到爸爸们的"优势"。

> →**不靠谱，可以等于好玩。**

爸爸们常被吐槽的"不靠谱"，有时正是孩子们喜欢的"好玩"。记得有一次我患了感冒，很不舒服。这时候，爸爸出现，和孩子们把柜子里所有的袜子拿出来当弹药，在旁边屋里大战了好一阵子。我安心地睡了一会儿，觉得很幸福。

→ 愿意放手，对孩子有好处。

妈妈的口头禅总是：不行！当心！脏！爸爸们则更倾向于：随他去！往积极方面想，这叫敢于放手。几年前，我家和朋友一家出去玩，两个爸爸带四个孩子去动物园。他们俩很懒，给每个孩子一张地图，让他们自己进动物园玩。于是，几个3~7岁的孩子就去了。两个大人本来的计划是偷偷在后面跟着，但是能力比较差，一会儿就跟丢了。他们俩故作镇定，满世界找，后来终于找到了，但当时5岁的鲁迪回头看到了，非常生气，说："谁让你们跟着我们的？不是说让我们自己玩吗？"

→ 和孩子做运动。

运动通常是爸爸展示能力最好的方式。孩子小的时候，华章在家里经常"扔"孩子——往上抛，往外甩，旋转扔。虽说我在旁边看得龇牙咧嘴，出一身冷汗，但这种玩法能让孩子过瘾啊！我家老大的轮滑、自行车和滑雪都是华章教的，老二也在他的指导下仅用半个小时就学会了骑自行车。

所以，总结一句，爸爸虽"差"，但是有潜力，所以尽量用好吧，谁让妈妈们的能力强呢？

难题三：我累，没精力！

上文提到高质量陪伴孩子、鼓励爸爸参与，你可能马上就想到，要做到这些，那就需要我有力气、有精力、有精神，但我下班回家都累趴下了，哪里有心情做这些。

这涉及更深层次的问题，就是前文讲过的自我关怀。职场妈妈是一个不断付出的角色，所以关注自己的内心状态是非常重要的，而且这件事只有你可以做到。因此，职场妈妈的"困境"可以"因祸得福"地成为我们关注自己内心的入口，关注自己的内在状态，探寻能量的源泉。一旦开始关注，你就会发现一个新世界，会发现其实我们的能量可以是源源不断的，生活可以是充实而愉悦的。我们在后面的章节会讲到。

————————

看到这里，也许你会觉得有道理，但社会竞争这么激烈，养育孩子有一堆问题，哪有什么心思关怀自己、鼓励老公、和孩子寓教于乐呢？

那我们就来聊聊这些尖锐的问题。

> **→ 第一个问题：你说得都对，但听起来像"鸡汤"，孩子的学习和升学问题怎么解决？**

孩子到一定年龄后，为升学做的准备，当然要做。

但是父母要理解，一切学习能力的基础是专注力；专注力的前提是平和；平和的前提是有安全感。这是一个闭环。

而真正相互信任的亲密关系是有效家庭教育的起点，也是孩子幸福的基础。

所以这看上去的"鸡汤"其实是在构建孩子"成功且幸福的人生"所需要的底层能力。

→ **第二个问题：你说的安全感、真实，这些都对，但成长也需要很多特殊资源吧？**

资源的确需要，但是没有你想象的那么重要。

首先，在现代社会，如果一个人真的想学习，那么他会发现资源到处都是。

其次，资源不是一个人成功的先决条件。我从 2006 年到 2014 年都参与麦肯锡的招聘，看到的都是最优秀的学校毕业的最优秀的人才。说实话，没有一个人是因为有独占的资源而成功的。相反，有时候家里的好资源反而会成为对孩子的宠溺和累赘。

一个人真正意义上的成功，需要知道自己是谁，想去哪里，有学习能力，可以找到并好好利用资源。

当然，世上的确存在一些稀缺的独占的资源，但如果你的孩子只有靠这些稀缺的资源才能成功，其实并不能说明你的教育成功，反而是你的教育有问题，不是吗？

这个质疑听起来似乎有道理，实则不堪一击。因为让孩子能够应对不友好环境的，恰恰是孩子接受的无条件的爱和自信。

做一个不恰当的比喻，如果我们认为真实社会会拿刀片割孩子的皮肤，你有两种准备适应的方法：一是每天在家里先用刀子割孩子的皮肤；二是让孩子健康成长，身体好，有好的恢复能力。

你觉得哪个方法更有效？我想没有人会选择第一个吧。那你为什么在面对竞争这把看不见的"刀子"时，就想不明白了呢？

在人生早期，安全感和爱是很重要的。自我认同的缺失只能让应对挑战更为困难。反而是得到了充分支持的孩子不仅能更好地面对逆境，还会有信心和能力改变这样的环境。

当然还有最重要的一条，我们教育孩子不是为了让他适应社会，是为了创造，让这个世界变得更好，不是吗？否则带他来人间一趟，有什么意义呢？

---

① "鸡娃"是网络流行词，指的是父母给孩子"打鸡血"，安排各种学习和活动，使其不断拼搏。——编者注

不要把自己分成"职场人"和"妈妈"这两个角色，想象自己是合一的。

你、孩子、家庭、事业要发展，有一个共同的根基，那就是你自己愉悦、充盈的状态。

此刻的你处于什么样的状态中？你又希望自己将会有什么样的状态？

你做什么能让自己保持这种愉悦、充盈的状态？

尝试用这样的方式开始新的一天吧！

扫描本书封底二维码关注"奴隶社会"公众号，在消息栏发送"**关怀**"，即可收到我的更多分享。

第 8 章
做妈妈的真相：
爱自己才能爱孩子

我们生气的原因，是我们心里有一个剧本，眼前
的孩子却没有按照这个剧本演。要反思的其实不是
孩子的"问题"，而是我们自己心中的剧本。

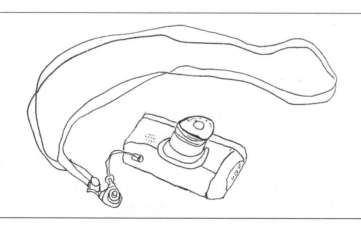

哪个妈妈能不生气

前几章读下来，你是不是觉得什么问题都可以解决，场面可以很美好？

但现实生活是一地鸡毛。

记得我曾在教育话题的一个微信群里看到这番发言：

> 我家邻居小孩上小学二年级，自从这个小孩上学以后，他们家几乎没有笑声。周末总听到妈妈在怒吼，要不就是拉小提琴的声音。妈妈经常震怒，隔几天就会气得把孩子推出来一回，说不要他了。

我看后的第一个反应不是"这个妈妈怎么这样？"而是，好熟悉啊，我也这样做过！

我甚至能感受到自己当时在气头上的身体状况：头脑充血、发晕，气愤，委屈，怨恨；自己的辛苦，"队友"的没用，孩子的"不争气"，对未来的害怕和担忧……"新仇旧恨"化作又厚又紧的一团，黑压压地堵在身体里。

第二个反应是这个七八岁的孩子好可怜！被妈妈吼着推出家门的那一刻，肯定是蒙的，不知道自己做错了什么，为什么妈妈这么生气，说不要我，而且感到恐惧极了。想到这里，我就好想抱抱这个小孩。同时，我回想到，我的孩子面对那个大吼的我时，也好可怜啊。

第三个反应是这个妈妈也好可怜！一生气就把孩子推开的妈妈，只是从自己的生命经历中习得了这样的条件反射。可以预见，出现这种行为之后，妈妈会后悔、懊恼，会下定决心以后不再这样。但是不久以后的下一次，还会出现同样的情况，生活里的新状况会接着按那个按钮，一按，又爆了，像机器一样精准。爆发之后再后悔，如此反复。

我在说这个可怜的妈妈，也是在说我自己。

其实我们经常处于"被挟持"的状态。

这时候就会觉得，自己这些年内在做的努力好像没什么用——自我对话、深呼吸，当时做完感觉很好，但是问题产生时，我自己生起气来还是好吓人啊。

这些努力真有用吗？是自欺欺人的骗术吧?!会不会浪费了我的时间，还耽误了孩子的发展啊？

这些我都问过自己。人在面对自我的时候，是非常容易产生怀疑的，此时如果有智者告诉我们解决方法，我们往往听不进去，因为觉得和眼前的问题无关。

而真相是：都有关。你只不过被自己的"小我"挟持了，看不见而已。

我们的语言其实每时每刻都在透露我们的内心，上文的"浪费""耽误"，说到底都是我们内心的恐惧。众多商家这样做过广告，"错过""落后"这一类词汇都是基于恐惧的，也特别容易产生"客户认同"，因为可以和我们内心的恐惧一唱一和，把我们挟持得紧紧地，进入机器人的状态。

很多时候我们看上去是在忙碌，实际上在如机器人一般梦游。

如何才能脱离这种状态？靠内在的工作，靠觉知。

你可能会问：你李一诺不也承认你会发火，被挟持变成机器人吗？是的，如果把发火比喻成发病，这些内在工作不会让我们"马上彻底"痊愈，但可以拉长"发病"间隔，每次"病程"变短。安迪10岁时告诉我：妈妈，你发火的时候很可怕，但是我告诉自己只需要坚持一会儿，因为你的火气很快就会过去。这是你的优点！我听了哭笑不得，一方面觉得自己真不咋样，另一方面，我认为这是个了不起的正面反馈！好的，孩子，我下次争取再快点儿"过去"！

走出坏情绪，真的有方法，就是能看到那个"机器人"、那个"小我"、那个"痛苦之身"，并不断提醒自己，我们不是那个机器人。**不是孩子"惹我们生气""让我们着急"，而是我们潜意识允许了这件事"让自己"生气。提醒自己可以有不同的选择，用不同的方式去回应。**

其实生气时的我们在孩子眼睛里的样子真实得可笑。七岁的一迪告诉我：妈妈，你生气的时候，我最希望发生的是有一个人给你打电话，你马上就能心平气和；第二希望发生的是我们中有一个人受伤了，你也马上就不生气了；第三个就是你生气的时候，我提醒你《功夫熊猫》里的 inner peace（内心平静），有时候也管用，但不像前两个方法那么管用。

我听了笑得不行，不得不佩服一个七岁孩子的洞见！

"孩子惹我们生气"，这句我们挂在嘴边的话恰巧说明了，孩子是我们走向觉悟最好的老师。

为什么这么说呢？我觉得有以下几点。

我们知道觉悟，要进入当下
而孩子时时刻刻都在当下

我们和孩子的核心矛盾其实是时间的矛盾。成年人往往生活在过去或者未来，反思以前发生了什么，计划下一步要做什么，为过去懊悔，为未来焦虑。而孩子是活在当下的，他们眼里只有眼前的事。想想七八岁以前的孩子，他们时时刻刻都活在当下，过去发生的很快就忘了，明天发生什么也不会想，当下的蚂蚁、沙子、树叶，就是世界的一切。这其实就是人和世界的一体性。

天人合一是东方智慧的最高境界，而孩子生来就是合一的。我们和世界本是一体的，是在"长大"的过程中"分离"了。我们所有的痛苦其实都来自这种分离，所以觉悟是重新合一的过程。孩子就处于这样的当下状态里，所以孩子是我们走向觉悟天然的大师。

觉悟的前提是敢于真实面对
孩子是最真实的，能看穿你的一切伪装

为什么童话里喊出皇帝没穿衣服的不是别人，而是孩子？因为孩子无惧说出真相。如果你睁开眼睛，就会看到孩子是上天送给我们的一面镜子，照得出完完整整的你，特别是你最希望掩藏的那些丑陋的角落。我们那些没有解开的结，都会在孩子那里折射得一览无余。

我记得安迪七八岁的时候说过一句话：妈妈，为什么你说生气是不对的，但是你生气的时候就总是对的？一句话说得我无言以对。就是啊，自己设定了双重标准，自己做不到的事情，还在道貌岸然地教育别人。

还有一次，老二鲁迪受伤，哭得昏天黑地。我发现他受伤和安迪有一部分关系，就开足火力冲安迪发一顿火。安迪等"暴风雨"过去后对我说：妈妈，你其实知道这不完全是我的错，你找到了一个可以责备的人，就能感觉好受点儿而已。又是一语道破。所以你看，这些真相，孩子都看得清清楚楚。

觉悟是感受和给予无条件的爱
孩子给我们的就是无条件的爱

孩子不会因为我们成就高低、金钱多少、有没有皱纹、是不是聪明能干来决定给我们多少爱。反而是我们，口口声声说无条件爱孩子，但却会因为孩子慢一点儿、"笨"一点儿就嫌弃他们，会根据孩子的成绩高低决定我们给予他多少爱。即使这样，孩子还是给我们无条件的爱，但是我们经常对这样的爱视而不见。

鲁迪5岁的时候，有一次我问他：0分到100分，你给妈妈打多少分？我心里盘算也许能给我打80分或90分。鲁迪用小胖手抱住我说：妈妈，我给你打一亿分！

一迪现在7岁，每天热衷于给我画卡片，画面上有妈妈和一迪，还有许多爱心。每次看到这些小画，我都被孩子的小心灵给我们的那些爱深深地触动。

孩子是通道
让我们有机会面对自己最深的恐惧

孩子是未来，未来是不确定的，我们面对不确定时会恐惧，所以希望去抓住某个确定的东西。我们的很多行为都是在"抓"，但你是抓不住它们的，哪怕看上去抓住了，也只是幻影。但很多人要过很久才能明白这个道理。这种恐惧在孩子面前展现得最深。我们养育孩子，做教育事业，就是要面对这最深的恐惧。

除了"未来＋不确定"这一点让我恐惧，面对孩子时还有一层恐惧，因为我们觉得孩子是"我们"的，他是我们的外展，是我们的一个"项目"，因此孩子的失败就是我们的失败，而我们的失败是"万万不能接受"的——因为失败的我是不能被接纳的、不值得被爱的。这个不接纳和孩子无关，是我们自己的功课，但孩子能折射出这些埋得很深的自我评价和不接纳。而看到这一点，是觉悟的开始。

———————

所以你看，有了孩子，就是有一个住家的觉悟大师！开个玩笑，灵修大师似乎从来没有妈妈的形象。为什么？因为妈妈在家里已经有这样一个大师在引导我们开悟了！

回到那个最深的恐惧。其实孩子只是我们生养的，并不是"我们"·的，我们无非早生了二三十年。要想成为合格的父母，其实只有直面这种恐惧才是正途。

纪伯伦的名篇《论孩子》说出的是真谛：

你的孩子并不是你的。
他们是生命自身的儿女。

他们借你而来，却并非来自你，
他们与你相依，却不从属于你。

你可以给予他们你的爱，而不是你的思想，
因为他们有自己的思想。

你可以为他们提供栖身之所，却不能禁锢他们的灵魂，
因为他们的灵魂属于明天，那是你做梦也无法到达的明天。

你可以设法效仿他们，但不要试图让他们像你一样，
因为生命不可逆转，也无法停留于昨日。①

"因为他们的灵魂属于明天，那是你做梦也无法到达的明天"，
这句话我第一次看时很伤感，甚至有些气恼。但事实就是如此。
一旦我们认清和接纳这一点，就可以从陪伴孩子的体验中获得无
价之宝，走上觉知的道路，成为更清明的自己，也成为孩子这支
"箭"更好的"弓"。而那一次次怒火虽然看上去痛苦、丑陋，但
如果我们有意识，其实会发现那都是通往觉知之路的入口。

哪有什么超人

2020 年的母亲节，我没写文章，也没发朋友圈，因为生活超
级狼狈。

新冠肺炎疫情暴发后的几个月，和所有人一样，我的生活也
发生了很多变化。

2020 年 1 月，我们本来带三个孩子在美国小住，结果变成了长
住。盖茨基金会从 1 月起就全面投入抗疫的工作，我在美国需要跨
时区工作，从早上 7 点到凌晨 2 点，什么时段的电话会我都开过。

---

① 该段译文来自诺言社区成员图灵。

一土教育进入第四年，转为线上教学，团队也需要做很多调整。

生活还得继续。华章和我家超级能干的姜阿姨都在北京，在美国的所有事情就靠我和妈妈两个人了。谢天谢地妈妈在，帮了非常多的忙，厨房里外的活儿，妈妈基本上承包了。但是开车、采买、孩子上网课，还有生活其他的方方面面基本靠我。总体来说，虽然狼狈，生活降低了标准，还算能应对。

4月的一天，妈妈在陪孩子玩球时摔倒了。多亏朋友帮忙，及时看了医生，确认是髋骨骨折，建议卧床慢慢恢复。伤筋动骨一百天，我一方面特别心疼妈妈，也特别自责，为什么让妈妈和孩子玩球？另一方面很头大，这一百天可怎么办？所有的家务都得我做，还需要照顾妈妈。想想未来一段时间都将处于这种状态，我深感悲摧。

妈妈刚摔的那天晚上，我基本没睡，躺在床上看着天花板，既怕妈妈翻身感觉腿疼，需要我照看，又发愁明天怎么办。光是床头那一箩筐脏衣服，先洗后叠就是一大堆活儿，更别说别的了。孩子的网课有几份资料还没有打印（打印机好像快没墨了），作业不知道做没做完；我有一封工作邮件没发，还有一份PPT没看，好多条微信没有回。哦，家里好像没牛奶了！记得明天买。还有，明天切记把厨余垃圾扔出去，要不然要错过一周收垃圾（已经错过一周，再不收走就臭了）。白天老大和老二闹矛盾，睡觉的时候还没有和解，是气呼呼地入睡的。老三看热闹，在床上没脱衣服就睡着了，牙都没刷（昨天也没刷）。对了，孩子的iPad（平板电脑）是不是忘充电了？赶紧爬起来充！

所以，还过什么母亲节？我能活着就不错了！

很多朋友知道我有三个孩子，有全职工作，还做了其他很多事，写了不少"干货"文章。一方面，这似乎给了很多女性朋友激励；另一方面，也给了很多人幻象，好像有人无所不能，因此在无意中让很多妈妈有挫败感，觉得"你看人家能做这么多，我怎么差这么远"。但上述画面才是我生活的真相。

一转眼，我已经做了 11 年妈妈，回想一次次在低谷的时刻，最终能走出来，是靠自己做这三件事：接纳、转念、相信。

接纳：做妈妈是天下最难的工作

做了妈妈才知道，这绝对是天底下最难的工作！

记得第一次逛母婴用品店，我就像刘姥姥进了大观园，琳琅满目，一个都不认识。蓦然发现养育孩子是一个平行宇宙，知识无穷尽，用具无穷多。这还只是入门。后来才知道，做妈妈简直是生活能对一个人提出的最高综合要求！从脑力到体力，再到心力。

妈妈一方面要学会照顾几个小娃娃的生活，吃喝拉撒，事无巨细，从辅食到便秘，从蚊虫叮咬到跌打损伤；另一方面是教育，语数外、体育、艺术、性教育等，还要了解课程体系、升学路径、营地活动、心理问题。

你还得身体好！有孩子的头几年，常年睡眠不足，也不能生病。你还要定力十足，处变不惊，就算焦虑无比也要镇静，无比着急也要耐心。每天有大量的信息在你眼前翻滚，别人家的牛娃、牛爸、牛妈刺激着你的神经。你还要在这样的繁复世界里，看见孩子，活在当下。你说，这是不是人生之终极修炼！

面对这么艰巨的工作，却没有人提醒我们早做准备。理发师和厨师尚且需要上课、考证，养育人这件天大的事，我们自己都没有活明白就稀里糊涂地开始了。

更糟的是，不仅没有做好准备，大量媒体和文章还给我们造成各种幻象，让我们觉得别人都准备好了。

看到公众号文章里的妈妈带孩子一会儿听音乐会，一会儿去艺术博物馆，于是我也想象自己长裙飘飘，和孩子们在艺术的世界里徜徉。所以，我带孩子准备攻略，飞行万里，进入神圣的艺术殿堂，结果发现孩子最喜欢的是在博物馆的地上打滚，对展品毫无兴趣。不仅如此，孩子还总在最不方便的时候上厕所，在我们看艺术大片的时候睡觉——睡就算了，还打呼噜！

所以，我觉得自己好失败，别人能做到那么优雅，我家孩子咋就是这么扶不起的一摊呢？

怎么办？

一开始，我觉得是孩子不行，但很快发现，只要是正常的孩子，就都是这样的！不仅这样，孩子还会哭号、发脾气、闹别扭、打架。**那些让人羡慕的朋友圈和公众号里的故事和图片并不是骗人的，它们只是在一个 100 帧的电影片段里取了最美好的一帧给你看。但你我都知道，这不是生活的全部真相。**

知道真相后自救的办法被我叫作"反向脑补"，就是补回生活真实完整的样子。在你看到的天才儿童、从容父母、岁月静好之外，补上"发呆，尿裤子，哭哭啼啼，闹别扭和发脾气"的 99 帧，你就不焦虑了。

这不是阿 Q 精神，而是孩子本来的样子。

"没准备好"的出路是放下对自己的评判。做妈妈是世间最高阶的事，因为你面对的是一个有灵性的人。所以，不仅你没准备好，别人也没准备好，更重要的是你永远也不会准备好。我们常说终身学习，其实做父母才是终极的终身学习，因为每时每刻都有新的情况出现。我们需要在每个当下实时应对，不停地提醒自己看到孩子，内观、反思、调整。

转念：养育最大的困难，在父母的内心

所有父母对孩子的到来都有一些美好预期，场景往往是亲密拥抱、欢歌笑语。而生活的真相是，需要化解很多阻碍，才能通往理想的幸福。这些阻碍不是孩子，而是我们在孩子身上投射的自身成长过程中积累的、并不自知的恐惧和匮乏感。

每个父母都希望孩子成功，表面是为孩子好，但究其根本，往往是为自己。因为如果孩子"不成功"，就等于自己"不成功"。所以，**焦虑的根源在于我们对自己的价值判断和某种不认可。**所以我们要做的功课是自我接纳，而不是推着孩子实现我们自己没有实现的"理想"。

就算我们觉得自己可以无私地只是为了孩子成功，也要问：什么是成功？是在竞争中胜出吗？这种竞争性成功的底层信念，是认为孩子以后面对的世界是弱肉强食、丛林法则的世界，所以孩子要"成功"，那就需要什么都好，"技多不压身"。但其实"技"永远不够多。你在体育方面强，就会发现别人在艺术领域做得好；你诗词造诣高，就会发现别人英语好。天外有天，人外有人，外求永远没有终点，自己疲惫，孩子也疲惫。疲惫的时候，你如果反思，就会知道作怪的是我们自己的焦虑和恐惧。

出路在哪儿呢？一方面可以说很难，是一生的修行；另一方面，可以说很简单，只有一层窗户纸，捅破就在转念之间。

需要转变的是底层的信念：**这个世界不是淘汰制的，而是成**

全的，世界是多样的，每一个孩子都会因为他是他而在这个世界创造独一无二的价值。接纳自己，也接纳他人，这时候对世界的假设就会从残酷的竞争变成温暖的花园。

这也许听上去是"天方夜谭"，因为它似乎和我们在新闻里看到的世界不一样。但请你想一想，这个世界上有多少智慧和包容是我们意识不到的呢？如果哪一天有一个科技突破，说人工智能和机器人技术可以造出一朵能随季节变化开放的花，那一定是一个了不起的科技进步吧？但是看看我们的周围，这样的大智慧难道不是天天在你未曾留意的地方上演吗？所以常提醒自己，我们对世界的认识往往是偏狭的。放宽一点儿视野看，就是转念的开始。

相信：其实所有的答案，都在眼前

我们和真相其实只隔着一层窗户纸，这层纸就是觉知。

一方面，养育这个"平行宇宙"似乎纷繁复杂；另一方面，有了觉知就会明白，养育的核心只有两条。

第一，孩子健康的身体和心理。

第二，家庭成员之间亲密、幸福的关系。

这两项的结合是成长的物质基础＋内在能量和灵性成长的安全空间。养育，无非就是这两项。

也许你会问：那孩子的教育呢？学习呢？

其实都包含在里面了。

前文写过，一切学习能力的基础是平和与专注力。平和的根本是知道自己被无条件地接纳和爱着。所以，如果我们做到了这些根本，孩子在世俗世界里需要做的事情就不难。就好像我们如果希望种子能发芽生枝，开出美丽的花，需要做的不是研究花有几片花瓣，需要怎样组合在一起才能成为一朵花，而是照顾好种子，浇水施肥。做到这些，花自然会美丽开放。

当做好了根本，你就会发现具体问题怎么解决，其实答案都在眼前。就像前文所述，你如果放下自己脑子里的声音，听孩子在讲什么，那么就会发现他都告诉你答案了，你只要跟随，就不会做得太差。当然，难的是我们往往被自己脑子里的声音——"机器人"挟持，而听不见孩子的声音。

———————

讲完这三点，我想拥抱一下看到这里的每一位爸爸妈妈。**平凡的你我做的是神的工作**，所以任务当然艰巨，我们当然会感到疲惫。

一次，全村社区里的一个妈妈分享，她抱两岁多的宝贝上厕所时，宝贝在妈妈的眼睛里看到自己的影子，兴奋地一遍一遍地说：妈妈的眼睛里有宝宝！妈妈的眼睛里有宝宝！我看到这段话，瞬间泪目，孩子成长的一幕幕都涌上心头。我们不是神，世上也没有神，但是我们和孩子的联结有如太阳一般的能量。

有时候，我们只是忘了。

写在后面：我的另外 99 帧生活画面

孩子的姥姥受伤，我们的生活的确狼狈。我的工作还是高负荷，家里家外，采买做饭，"徒手搞定仨娃"。如果你不知道实际情况，只看我的朋友圈，那就是一片祥和：在山里踏青，展示孩子们做的精美早餐和有趣的手工艺品。

实际情况呢？时间回到妈妈摔伤的那天晚上。

我躺在床上看着天花板想：这样不行，我搞不定，那不如就地趴下认怂。

第二天，我跟孩子们商量：你们看，妈妈得工作，姥姥受伤了，咱们每天还需要吃饭、打扫卫生，你们说咋办？共同的结论是，我们每天一起做家务、照顾姥姥，三个娃都上，有分工、有合作。而当我在工作，没办法陪他们时，他们提出可以看电影！我一开始心里是抗拒的，因为很多教育理论涌上心头！后来，我喊停自己的思绪——看电影就看电影吧！只要能时不时地休息一下眼睛就可以。所以那几个月，仨孩子看了不少好电影，一个出人意料的收获是，老二和老三的英文水平大增，能把《功夫熊猫》台词倒背如流，每天沉浸其中，"重播"对话，有表情、有动作，等于连戏剧课也上了。

他们从《功夫熊猫》里还学到好多哲理。里面的 Master（大师）乌龟有一句经典台词是："There are no accidents." 意思是生活中发生的所有事都不是偶然，都有缘由。

所以看上去的困难何尝不是生活的馈赠，从疫情到妈妈受伤，这样的困境逼着我们去重新思考和组织自己的生活，让我们退一步，看见到底什么才是对我们真正重要的。

2021 年的母亲节，我看到这样一段英文：

There isn't a perfect mom, a perfect house, a perfect kid, a perfect life.
There's just real.

And real is one mom after another after another after another
who wakes up in the morning and sees those kids who call her mom.
And pulls herself up and tries.

She stumbles, but stands up.
She worries, but gives.
She loves,
She Mothers.

这段文字的意思是：

从来就没有完美的妈妈、完美的房子、完美的孩子和完美的生活。
有的只是真实。
真实就是一个又一个妈妈
早晨醒来，看到喊她妈妈的孩子，
爬起来，继续努力，做一个好妈妈。

她会摔倒，但是会再站起来；
她会担心，但是会不停给予。
她用心爱，
只因为
她是妈妈。

这首诗送给每一个妈妈。

觉察练习 · **接纳**

我相信，翻开这本书的你一定是一个有爱、有追求的人。

但是我们真的能接纳全部的自己吗？

挑一个你最近发火的时刻，多问几个"为什么"，看到表象后面的那个"机器人"，就像这一章里我和自己对话那样，也和自己来一场真诚的对话吧！

扫描本书封底二维码关注"奴隶社会"公众号，在消息栏发送"**接纳**"，即可收到我的更多分享。

在职业生涯中，上路已经不易，作为妈妈回到职场，挑战更艰巨，因为我们自己的状态发生了变化，要面临的局面也会发生变化。我们很可能要面临转型。

其实，即使没有成为妈妈，职场转型也是无处不在的：没有一份工作是一成不变的，你刚刚觉得适应了，能驾驭了，情况就可能发生变化，你又成了新手。哪怕工作单位和职位没有变，工作内容也可能变。

如何面对改变？这是千古难题。乍一听改变会害怕，因为它意味着要离开舒适区。"小我"的本质是不喜欢改变的，而且越是年龄大就越明显：在一份工作里，我们一开始是学习成长，后来就是倾注了自己的归属感和社会关系，再后来会感到工作是我们的保障和安全感的来源。因此越到后面，改变似乎就越困难。

而真实情况是，**如果我们有健康的内在状态，什么时候都可以改变和重新开始。**

但道理说起来简单，做起来难。

回看我这些年的经历，从麦肯锡到盖茨基金会，再到"一土"，从"奴隶社会"公众号到诺言社区，一直在改变和转型。看似都搞出了一些名堂，获得了一些关于"跨界"的赞誉，但我自己知道，每一次改变都不是有计划的，每一次都是跌跌撞撞的，每一次都会掉到坑里。更重要的是，我的每一次转型其实都是从打退堂鼓开始的。

这退堂鼓，从在麦肯锡的时候就开始打了。

第三部分

职场进阶，
从不敢不同到光芒万丈……

第 9 章
不敢不同

这闹剧般的事件很快就过去了，
不过它莫名给了我一些不曾有的勇气。

不敢做"不一样"的那一个

我做到麦肯锡的副董事之后，很快意识到，我经常是会议里出席的少数女性之一。

讲个真实的笑话。我在麦肯锡的时候，因为大部分客户是公司的高层，当然主要是男性，所以经常会听到我们的男同事说，他在男洗手间又碰到了哪个客户，聊了什么。我们这些女同事就特别羡慕，因为我们很少能在女洗手间遇到客户公司的高层。有一天，一位女同事兴奋地过来说：哎呀，我刚才终于在洗手间碰到了那仅有的一位女高管，我们聊了什么。大家哈哈一笑，但这真实地反映了女性在职场高层中是多么少见。

2010 年，我的第一个孩子出生。产假刚结束时，有一个德国客户在上海做项目，我们有机会出建议书，参加竞标。如果拿下上海的项目，就意味着我需要每周出差。我是很纠结的，一开始并不想做，但是这个客户和项目都在我希望做的领域，经过取舍，我准备竞标。

经过漫长而周密的准备，我们赢得了这个项目。我一方面当然觉得非常高兴，另一方面心里打鼓，因为漫长的出差要开始了。

但我后来才知道，出差的痛苦只是表面的，在这个为期 4 个月的大项目中，我经历了深层的自我怀疑。回头看，那是我职业生涯里一个重要的转折。那时候正值我做副董事，要在一两年内升任董事。除了前文已讲过的心态转变，我其实还有一个层次的转变，就是适应做那个"不一样"的人。

第一个冲击，是我做背奶妈妈造成的一幕"惊悚"场景。

客户公司在上海郊区的办公地点，条件自然有限。我从北京飞到上海，向客户的助理借了一间办公室，她说坐这间办公室的经理出差了，我可以用一整天。于是我把吸奶的器具放好，拿出奶泵戴在身上，打开机器开始泵奶。与此同时，我需要参加一场电话会，于是我戴上耳机，开始打电话。

为了说话的时候不让电话会的其他人听到奶泵的声音，我得把耳机线上的麦克风举到嘴边说话。这样举着胳膊不舒服，我就站起来，胸前吊着那两个奶瓶子，瓶子连着管子，管子连着泵——读者可以脑补一下那个画面。我以为那间办公室一天都不会有人来，于是我仅仅关上门，既没锁门，也没遮挡自己。

就在我这样姿势夸张地开着电话会的时候，门突然被推开，那个应该在出差的经理径直走了进来！我当时就蒙了。当然他也蒙了，连说对不起，仓皇地退出了办公室。我的电话会开不下去了，匆匆下了线。（放心，没有暴露身体部位，看上去就是胸前吊俩瓶子。）

这闹剧般的事件很快就过去了，不过它莫名给了我一些不曾有的勇气。

这个项目的大部分客户都是男性，在上海办公室已经体现得很明显了，到了德国总部更是如此，所有高管无一例外都是德国男性，还都是物理学博士。

所以这第二个冲击，就是在这样一个客户环境里做好项目的负责人。

在上海，一开始，我和麦肯锡团队的一些意见和观点很容易被客户质疑。我最初的策略是逐一应对，通过数据和分析，以及外部客户的真实反馈，说明为什么我们的观点和他们的不同。经过几个月的努力，我们的工作慢慢得到了上海团队的信任和认可。

接下来，我需要一个人去德国总部做一场对 CEO 和高管团队的汇报。我飞到德国的时候已经是晚上，第二天很早就要起来开会。

我还记得住的酒店房间在二层小阁楼上，我半夜拎着箱子走上去，楼梯吱吱呀呀地响。进房间安顿好，我躺在床上却睡不着。项目最终的汇报 PPT 都打印出来放在床头了，每一页上面的数据、分析、结论我都一清二楚，但我知道我们在上海经历了几个月的建立信任的艰难过程，以及第二天可能面临的局面。

虽然我们建议的内容早就同步给了德国总部，但是第二天会上的德国客户，我基本不认识，我们提出的建议和他们固有的业务战略方向也不一致。而这次，只有我自己去面对，我该怎样做汇报才能让他们听得进去，并且有效地讨论呢？

辗转反侧中，我意识到，其实从我们的建议到我这个人，都和他们如此不同。

我曾经觉得"不同"是个问题，我和他们很不一样，我们提出的策略也和他们原有的不一样。但我躺在床上想，既然不一样，那不妨就从承认这点开始。

第二天早上，我到了会场，看到黑压压地坐了一圈，有十几个人，都穿着深色的西装。我穿着特地准备的亮色衣服，在自我介绍之后，开门见山地说：

你们听了我的介绍，肯定会注意到一点，那就是我和在座的各位非常不一样。

你们都是德国人，我不是；

你们都是男性，我不是；

你们都是物理学博士，我不是。

我想也许这些不一样，可以让我们更容易用不同的角度去看待公司在这个业务上的战略问题，也能使我们有用不同的视角思考突破和新的增长的机会。

所以如果可以，我希望各位能暂时脱离现有身份的框定，不要把我看成一个提供咨询服务的人，而是用开放的心态和我一起看数据、参与分析，来讨论我们和你们的上海团队一起建议的新战略方向。

我的开场是他们没有预料到的。我也能感觉到，这黑压压的十几个人的能量开始动了起来，他们的眼睛里有了不一样的光：好奇、开放，但带着一些疑虑。

因为这个开场，会议开得很不一样，有了非常热烈的讨论，最后我们建议的战略方向得到认可，我也收到了很好的反馈。

这也是我第一次主动把自己标记成"不一样"的那个人，不将其作为劣势避免，而是作为优势去开启高质量的互动。

————————

我非常感谢这次经历，让我也开始"敢于不同"。不是为了不同而不同，而是知道自己与其他人不一样，不将其认作"劣势"，并且能够透过表面的"不同"看到大家其实有相同的诉求，从底层诉求出发，去看待和解决问题。

这时，你的"不同"可能会变为优势，它代表了新思路、新角度、新方向。

这个"敢于不同"让我慢慢地有了自己的领导风格。**发出自己真实的声音，是我们在职场上走出自己的路的起点。**

习惯于安全感，不敢离开

从"不敢不同"到"敢于不同"，这个转折支持了我在麦肯锡后5年的职业发展。

在这5年之后，我再次面对的选择更难一些，它是关于离开的。

2015年年初，我在麦肯锡已10年。那时，我收到了盖茨基金会招聘部门的电话，问我对到盖茨基金会工作是否感兴趣。我当时想也没想就说不感兴趣。

为什么？因为我那时候觉得，做慈善的人要么很有钱，要么已退休。我既没那么多钱也没退休，干吗要干这个呀？招聘部门的人说，理解。

过了一个月，他们又给我打了一通电话说：一诺，我们知道你对这份工作不感兴趣，那你对见见比尔·盖茨有没有兴趣呢？

我说，这个兴趣还是有的！于是秉持猎奇和窥探首富的心态去了西雅图。

去了西雅图之后，我想，既然有这个机会，那我就问问比尔·盖茨为什么做慈善。虽然大家可能都觉得做慈善是好事，但毕竟当时他让微软公司发展得很好，而且他成立基金会的时候是2000年，只有45岁，远不到退休年龄。我想知道45岁做这么大的决定是为什么。

盖茨先生回答了我的问题。他说1997年，他对世界的理解是人人各司其职：我是微软的CEO，那我就把我的公司做好。卫生医疗问题不是有世界卫生组织负责吗？粮食问题不是有联合国粮农组织负责吗？战争不是有联合国安全理事会负责吗？大家各司其职不是挺好的吗？

后来他才发现，在这个世界上，在影响数亿人的问题上，存在着巨大的真空。

他当时给我举了疟疾的例子。很多读者可能不熟悉疟疾，疟疾在全世界范围里是一种非常让人头疼的疾病，世界上近一半的人口受到它的干扰。因为它是由蚊子传播的，每年有2亿多人得病，有40多万人死亡，而且其中近70%是幼童。[①] 盖茨说：当时我才发现，在医治疟疾这个领域，全世界唯一对它的研发做投入的是美国军方。为什么？因为越南战争。后来战争已经不是美国需要关心的问题了，所以这笔研发经费很快就没有了。

后来，盖茨基金会开始投入疟疾治疗与控制的研发，每年全世界对此的投入是5亿美元——似乎是挺多钱的，但是对比一下男性谢顶，其每年的研发投入有20亿美元。

这么想想，这个世界是不是很可笑？一方面是2亿多人得病——能死人的病，只有5亿美元的研发经费；另一方面只是男性谢顶，却能有20亿美元的研发经费。

类似的问题在公共卫生和全球发展领域比比皆是。

我虽然带着猎奇的心态而来，但是被谈话内容震撼，看到了我想都没想过的世界问题，还了解了比尔和梅琳达·盖茨从2000年起就成立了这样一家机构，为解决这些"真空"领域的问题投入金钱和才智。

所以那一次会面之后，我开始认真思考：要不要离开麦肯锡，加入盖茨基金会？

----

① 数据来自 WHO 官网。

这是一个不容易做的决定。

首先也是最实在的问题：这份工作的收入比我在麦肯锡做合伙人的收入低了不少。我于 2005 年开始在麦肯锡工作，从那一年起，华章做过各种创业尝试，有成功、有失败，所以这些年我的工作一直是家里唯一的主要收入来源。工资降低对我们的家庭是有影响的。

其次，这个职业选择不被看好。麦肯锡的合伙人离职，一般是去大企业做高管，或者做投资，慈善是很"边缘化"和"没前途"的职业路径。当时我非常尊敬的一位领导直接跟我说：你这是"职业自杀"，你现在去做这个职位，之后呢？你还不到 40 岁（2015 年，我 38 岁），这个职位的上升空间在哪里？对这个问题，我没有答案，所以就像这位领导讲的，从职业发展的角度看，这个选择似乎很不明智。

再次，就算这个职业很好，为了这份工作，我们要带着 3 个很小的孩子搬回北京。孩子即将进入学龄，我们不熟悉国内教育环境，工作和生活都要重新开始。

最后，我还有一个秘密的心结，就是"最好的医疗保险"。麦肯锡的合伙人可以说有天底下最好的医疗保险。你或者家人如果需要看医生，不管想去哪个国家、找哪位高级专科医生，都可以放心去看，而且 100% 报销。我有一个以色列同事，他的孩子 3 岁的时候得了一种奇怪的癌症。幸亏麦肯锡有这项保险，他能带着孩子在全球看医生。我那时候就觉得虽然得病不幸，但我们这项保险太好了。我有三个孩子，那时候都不到 5 岁，所以我必然觉得这是一定不能放弃的福利，而且这是我做了十年工作赚来的啊！

因此，换工作这个决定暂时被搁置了，我开始思考自己为什么放不下。

这么放不下这份医疗保险，是因为什么？

我想，是因为害怕。

害怕什么？

害怕孩子生病，特别是疑难杂症，这样就可以在全世界找最牛的医生给孩子治病。说到底，我害怕的是孩子不健康，所以要抓住这份最好的保险。

如果我追求的是健康，保险可以保我和孩子的健康吗？

我的第一反应是，当然，所有保险宣传都是这样讲的。保健康啊。但我再想，其实不是的，我和家人的健康与我投了什么保险其实没有任何关系。

但人们很难意识到这一点。

保险肯定是有价值的，万一出了事情，我们能心安。但是新工作并非没有保险，只是不够"极端、高端"。

那我在什么时候才能用到这"极端、高端"的保险呢？

应该是孩子得了特别严重的疑难杂症时。我倒是希望永远用不到这样的保险。

可如果用不到，它就没有实际的意义了，不是吗？

所有保险都有给我们"安心"的心理意义，但是否"安心"说到底不是外界给了我什么保证和承诺，而是我自己可以说了算。

这番对话，我进行了好久，才意识到我表层完全合理的担忧下面的真相是什么。也是在这一遍遍对话里，我慢慢放下。于是几个月后，我放下了这"天下最好的保险"，离开了麦肯锡，开始了新的旅程。

这不容易做到，因为我们的思维有惯性。我们总想用一些外在的东西保自己的平安。而外在的东西都是虚幻的，今天可以有，明天就可以消失；今天可能是你的，明天可能就和你没关系了。所以，这样的"拥有"，不过是恐惧使然。

其实我们人生的时间大部分都在被恐惧追着跑。它像一个巨大黑影跟在我们身后，冷冷的、黑黑的，是很高大的一团，分分钟可以吞噬我们。所以，我们要不停地跑，但会发现永远甩不掉它。

为什么甩不掉？

因为这个黑影是我们的内心构建的幻想，出路只有一条，便是转身面对。一旦我们面对，就会发现其实那里什么都没有，原本的黑影灰飞烟灭、瞬间消散。就好像其实黑暗并不真实存在，黑暗只是因为没有光。要想"打败"黑暗，不是靠对着黑屋子拳打脚踢，而是打开灯。一旦打开灯，房间里的黑暗就荡然无存。但是这个开关只有等你敢于转身时才能打开，这恐怕是人生最大的悖论。

我离开"最好的保险"之后这些年，有了一段很有价值的人生体验，孩子们也都很健康。

但这只是人生的一个阶段。

顶尖的职位，不敢放下

5 年后的 2020 年，我在年中做了决定，将在年底又一次"离开",这一次我离开了盖茨基金会。

从表面上看,这是更困难的一个决定,因为我并没有找"下家",决定"去"哪里。在2020年疫情防控期间,很多事情发生了变化,我也推动了我们应做的事。回顾这5年,我问心无愧,可以告一段落了。

但离开仍然是一个艰难的决定。这一次离开不是为了某一个职位,而是为了自己。我在职场的早些年不曾有这个想法,因为职位、工作意味着职业成长,也意味着收入、稳定性和安全感。从这个角度想,这一次离开比离开麦肯锡那一次还"可怕",因为这次不是离开"最好的保险",是直接没有保险了。

面对内心最深处的恐惧,我同样和自己有了一番对话:

我最深层的害怕是什么?

如果最诚实地说,就是害怕没有生计来源。

你现在活不下去了吗?

没有,我的积蓄支持一段时间的生活不是问题。

那你害怕有意义吗?

眼前来看,没有。

还害怕什么?

害怕下一步的不确定性。

不确定就是坏事吗?

我想不是吧,也可能是机会,其实更重要的是我想做什么。

你想做什么,你清楚吗?

大方向是清楚的,具体什么样子还没有想清楚。我想等我真正清楚的时候,该出现的就会出现了。

和自己的对话能让很多底层的问题逐渐清晰，但离开时最难面对的，是人。和团队开视频会议，经常是屏幕两边的人都在掉眼泪。一起工作 5 年的团队早就不仅仅是同事，更是朋友和伙伴。这 5 年里一起度过的日日夜夜发生过太多故事，有太多回忆。团队给我做了一本相册，看到每一张照片、每一个笑容、每一个场景，我都能回忆起那些照片背后的点点滴滴。我想，之所以不舍，是因为我离开的不仅是一份工作，更是一段共同交织的生命体验。

很多重要的伙伴得到通知以后，给我和盖茨基金会写了情真意切的信，感谢我们这些年做的工作。我非常感动。我在基金会的工作中遇到太多闪光的人，他们让我知道，**有很多这样的人在为他人的福祉奉献自己的脑力、能力、心力，他们的生命选择一直给我力量，也会继续激励我前行。**

这次离开让我有了 2021 年这段非常奢侈的时间。

过去十几年，我一路奔跑，日程表总是满满当当的，恨不得年初就将计划排到年底，很少有机会慢下来，给自己一些时间。所以，这段空闲时间真是无价的馈赠。这份馈赠让我有机会回顾过去，也重新出发。每一次选择和转折其实都是生活给我们的一次进行深度自我对话的机会，也会为我们打开一扇新的大门。

想到这里，这些看上去"不一样"的选择其实没什么可怕的。不仅不可怕，而且正是通过这一次次对话，我们才有机会接近自己人生的真相和无限可能。

觉察练习 · 不同

回想一下你做过的那些与众不同的决定。这些决定和选择给你带来了哪些正面体验？

带着这些正面的体验，再来看你当下的生活中需要做的那些"不那么容易"的选择，也许会有新灵感。

扫描本书封底二维码关注"奴隶社会"公众号，在消息栏发送**不同**，即可收到我的更多分享。

第 10 章
从失去中照见力量

更深层的"下场"是面对"陌生人"
真实的困境和炽热的内心。

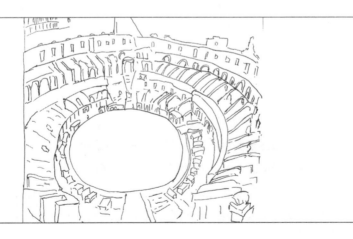

"无平台"的恐惧

我于 2015 年离开麦肯锡，2020 年离开盖茨基金会，每一次离开从表面上看都很"可怕"，其实我内心知道，这些并不是最可怕的，真正"可怕的"是这些年我一直在做的两件事："奴隶社会"公众号和后来的"一土"教育创业。

为什么这样讲？因为职业再怎样变动，都是在一家公司或一个组织的平台上。从"奴隶社会"公众号到"一土"，再到后来的诺言社区，就是完完全全自己"下场"了——没有组织和平台保护我、支持我，成或不成，美誉或毁誉，都要自己承担。

前文讲到领导力的第四个阶段是激发。

其实激发只是结果，不是做事情的动因。**一切能真正激励人的事物的起点，其实都是内心某种真实渴望的表达。**

我们这个不经意的表达是从 2014 年 1 月开始的。

当时离老三的预产期还有两周，因为是第三胎，我没有那么紧张。我妈妈和小姨都在身边，家里有好多人帮忙，我也不像生老大和老二的时候那么忙。当时，微信公众号刚上线不久，我和华章聊天，他撺掇我说：我们可以一块儿办一个公众号玩一玩，写写东西，我们这些年聊了那么多有趣的话题，写出来一定会有人看。

于是那两周难得的空闲，加上一些胡思乱想，就有了"奴隶社会"，它比老三大 11 天。

虽然很多事情发生得很偶然，但是有一点儿空闲，有一点儿天马行空的心境，往往是做创造性事情的必要条件。

公众号发文的第一天是 1 月 31 日，我们定的目标是新增 100 个关注的人，结果是 91 个，没有完成任务。2 月 11 日，一迪出生了。我又一次做妈妈，过程似乎很熟悉，但抱着这个小生命又感觉无比新奇，沉浸在生命的奇迹里。我那天写了一首小诗给初生的一迪，发布在这个初生的公众号上。

那首小诗是这样写的：

宝贝，你是那么小
小脸可以在妈妈的手掌里沉睡
小脚可以在妈妈的食指上舞蹈
妈妈都快忘记了，新的生命是那么脆弱和细小

宝贝，你又是那么大
大到妈妈不知道你的世界会是什么样
你会拾怎样的贝壳，摘怎样的星星
你会遇到什么样的爱，有怎样的秘密

但不管怎样，妈妈的爱总在这里，近近的或远远的
看你用你的小脚，去丈量你的世界

2014.2.12

两天后的 2 月 14 日是情人节，那天我们设定的目标是关注人数达到 1 000，这次增幅有进步，但还差几十个没完成。

我带一迪从医院回家，虽然有妈妈和小姨帮忙，生活还是鸡飞狗跳的。家里有一个新生儿，还有两个小娃娃——老大刚四岁，老二一岁半。记得那时候我在喂奶间歇接了一通电话，是我家一

个熟人的孩子在美国硕士毕业，正头疼找工作的问题。知道我在麦肯锡工作过很多年，问我该如何为求职做准备。

她在电话里说她参加了一些求职培训，告诉她应该怎样做，问我是否靠谱。我一听，就觉得太不靠谱了——讲女生要如何化妆、拿什么样的包，能提高成功比例。于是我说，天哪，不是这样的！这通电话让我回顾了自己的招聘生涯。我于2005年入职，从2006年开始就参与招聘面试的工作。成为合伙人之后，共同领导每年的招聘面试，截至2014年，总共有8年的经验。这通电话让我觉得，不如我写一写，一个面试官到底看中求职者的什么品质，候选人应该怎样准备。

这"写一写"后来演变成了5篇"面试的学问：八年面官经验谈"系列文章。

那个系列的文章语言很随意，但出人意料地有了很多次传播。我想这大概是因为，这是当时第一次有麦肯锡合伙人写面试准备的"干货"，很稀缺，也很有用。

写了这5篇文章之后不久，21个月龄的老二得了感冒，放倒了我们全家。晚上，我左手抱着哑嗓子的小肉蛋，右手抱着流鼻涕的老三喂奶，自己时不时地擤一把黄鼻涕。早上想多睡一会儿，结果，老二6点就醒了，兴奋地喊着妹妹，爬过来把大肉脸压在妹妹头上。整个早上一通忙活，连上厕所的工夫都没有。直到上午姥姥推着老大和老二出门玩，我要开一个电话会议，在卫生间还没收拾完，索性抱着两个月龄的老三坐在马桶上戴着耳机打电话——一边抱着孩子，一边跟电话那头的客户侃侃而谈世界大势。真是一地鸡毛的喜剧场面。

我逐渐把这些经历也写到了"奴隶社会"的文章里。

闪闪和爱玛都是我在麦肯锡的好朋友，她们也开始写文章，我也找其他在麦肯锡的同事约稿。这时候，我才发现这些"职场精英"的标签后面，是一个个如此接地气、有经历、有故事、情感丰富且富有文采的灵魂。闪闪写了《成为"女神"之前的故事　致敬16岁的我自己》，讲她自己从安徽小城到北京读书，大学毕业后为了找工作，在北京某座写字楼从一层跑到顶层，每层都去投简历，每走进一层之前，都要给自己重新打气，才能再次满脸朝气地走向前台，礼貌地说完自己准备好的话，放下自己的简历。爱玛提到自己去瑞士工作的各种曲折和折磨。这许多真实的经历和挣扎，都是简单的"名校"、"MBA"（工商管理硕士）的标签完全没法展示的真实人生。

几个月之后，我在麦肯锡的同事和朋友邱天（Autumn）给我发了条消息，说她在外面喝了一瓶红酒，写了一篇文章，问我是否需要发表。我看了文章，无比感动和震惊。这就是《那些离婚教我的事》。

在文中，她脱离职场身份，讲自己的感情之路，讲离婚给她带来的深层人生困境，讲她冬天拿着从路边买的热包子在民政局门口等前夫，讲知道自己会走一条黑暗的路，讲她的朋友说她"是一朵向日葵，趴在泥里，脸还向着太阳"。这篇文章一经发布就引起了广泛的共鸣和传播，有很多读者留言分享自己的故事。这篇文章也成为"奴隶社会"第一篇阅读量超过10万次的文章。后来，很多公众号或其他媒体都转载过这篇文章，全网阅读量近千万次。Autumn说，通过那篇文章，她收到了数千人的回复。七年过去了，这篇文章依然被很多朋友记得。

Autumn曾在文章里引用刘小枫的《沉重的肉身》里的一句话：

"每个人都是一个深渊，当人们往下看的时候，会觉得头晕目眩。"

《那些离婚教我的事》让我们得以在 Autumn 的深渊旁一瞥。这些年来，还有很多这样的真人真事，这种真实纯粹的个人讲述奠定了"奴隶社会"的风格。

就这样慢慢积累，2014 年年底，公众号有了 6 万多人的关注。

"奴隶社会"用了两年半的时间，有了 40 多万个订阅用户，华章一直是主力幕后工作人员，几乎负责所有的选稿、编辑、排版、用户互动与运营维护，是第一任主编。华章天天研究如何做好一个微信公众号，首先就是要想一个口号，我们想了好多个，都不满意。几经折腾，终于确定下来，就是今天我们看到的**"不端不装，有趣有梦"**。

"不端不装"其实就是"真实"，同时我们希望能"有趣、有梦"。其他更多或限制或修饰的词都没有加，因为我们隐约觉得，"奴隶社会"可以属于所有人——人的底层都是相似的。

我究竟在害怕什么？

做"奴隶社会"公众号的经历对我有很深刻的影响。它让我第一次这样广泛且深入地通过文字看到一个个真实的人，而不仅仅是职场上的、标签化的人。比如，清华大学的师兄把给他 12 岁女儿写的信交给我发表；客户把家人的故事拿来投稿；有越来越多我们不认识的人投稿，包括在华尔街工作的金融精英、跨国公司高管、乡村教师、同性恋女孩的妈妈、在沙漠种树 15 年的一家人……真的可以说"什么人都有"。这一方面让我看到了人间百态，另一方面让我感受到，人的根本思考和追求何其相似。**每个人的起点和境遇不同，但人生而为人共同的底色，都是关于梦想、勇气、自由、孤独和爱。**这些共同的底色，让我直到今天还会经常在看投稿的文章时流下眼泪。

其中值得一提的，是好友邢军的经历。我和她相识是因为工作，她是风风火火的海归博士、企业高管，曾经是我在麦肯锡的客户。项目做完，我们成了朋友。2014年，邢军的生活发生了不曾预期的巨大转折，她的二儿子——10岁的乐乐被诊断出脑瘤，她带孩子搬回美国治病。

我在知道这个消息的时候，完全失去了回应的能力。那时候，我家老三刚出生，几个孩子都小，我完全无法想象，也无法抵御孩子得了绝症的那种决堤般的痛苦。2015年，邢军写了一篇文章，题目是《选择坚强因为爱》，讲了最初大半年的经历。从确诊到手术，再到术后的挑战和痛苦，她写到"妈妈切肤体会到了心疼的滋味，那是心被刀一块块分割的滋味——我希望世界上任何一个妈妈都不要有机会体会那种滋味"。我看得泪如雨下，心疼不已，很久都不敢回看。

但就是在这样的绝境里，邢军坚持工作，照顾孩子，安排生活。她说看到先生在朋友圈引用丘吉尔的话：

"If you are going through hell, keep going."
（"如果你正在经历地狱，请继续前行。"）

这种精神的力量让人心疼，也让人肃然起敬。

在漫长的治疗和照顾的过程中，邢军一直保持着积极的内心状态。2017 年的一天，她和我说，准备写职场领导力的系列文章，一周一篇，发在"奴隶社会"上。我当然很高兴，因为她在职场多年的经历（从美国到中国，再到美国）对读者会是无价的馈赠。我自己也写文章，知道写一篇好文章需要花费多少时间、精力和心思。而她在全职工作，家里有患癌的二儿子和上高中的大儿子。所以，她说准备每周写一篇的时候，我虽然满口答应，但是觉得她可能做不到。于是我想，她做不到也没关系，什么时候写就什么时候发。没想到，从 2017 年到 2018 年的一年多时间里，邢军果真一周不停，写了 60 篇文章，成就了"奴隶社会"经典的每周二"职场邢动力"专栏，而且周周准时，从不迟到。文章涉及职场的方方面面，从面试到处理同事关系的棘手问题，从时间管理到职场影响力，从如何应对难搞的领导到自己如何做领导。看到这一篇篇语言亲和、干货满满的文章，我心里只有无限敬佩。

其实写这 60 篇文章的一年多，正是乐乐病情发展的时间。邢军告诉我，每周一篇的节奏让自己在压力中找到了一片宁静和寄托。后来，乐乐还是离开了我们。2020 年，邢军重新出发，开始了新的事业篇章。如果你在今天看到她，完全无法想象她经历过家庭悲剧和地狱般的煎熬。能见证邢军一家人这样的英雄之旅，我无比感恩。

勇敢迈出第一步

始于 2014 年的这段经历是我"下场"的开端，我没有因为特定职业和职位在做这件事，只是因为这是一种真实表达的可能性。我因此接触了许多真实的人生、社会的实景和放光的灵魂。我自己陆陆续续也写了很多文章，但是以写文章的方式展示自己的生活和思考，并放在一个准"公共"的领域意味着什么，我一开始是完全不知道的。

记得有一次，我在某平台分享我写的与家庭和事业平衡相关的文章，有一条跟帖评论，大意是"你家有几个阿姨和司机围着你转，帮你带孩子？别来这里误导大家了"，这条评论还得了好多赞。

实际情况是，在北京这些年，我家没有车，有一个带车司机负责接送，还有一个阿姨负责做饭、做家务。我和华章平时尽量自己接送孩子，晚上也是自己陪伴孩子。

所以看到这条评论的时候，我感到了巨大的冤屈和愤怒，恨不得去怒怼一场，然后把账号关掉。

不过，等平静下来，我想起一直很受益的一句话："**别人如何评价你，反映的是 Ta 的水平，而不是你的水平。**"再退一步想，有这样的评论和点赞，是因为人们的生活里的确有很多限制和无奈，所以当我们看远处的人的时候，愿意将其标签化，想象他们有许多我没有的资源，所以我做不到不是我的问题。这种心理，我不是也有吗？所以，我就能理解这种评论后面的心理了，进而学会不把别人的言语内化成对自己的伤害。

————

2019 年 2 月正值"奴隶社会"创立五周年，我们做庆祝活动，从全国各地来了上千位朋友参加，"奴隶社会"的很多投稿者来讲演，那是非常美好而特别的体验。

当时，我们在外展区展览了 20 多本书，都是"奴隶社会"作者们的书，主题涵盖教育、职场、公益、科普等。在过去的几年里，我们还连载了 7 部小说，不仅出版了书，有的还签了电视剧、电影的版权。看着这些书和作品，我觉得自己俨然成了一个"文化人"，竟然和这么多优秀的作品有了直接或者间接的联系，真是不可思议。

回想当年挺着大肚子躺在床上和华章胡思乱想一个主意，到这些年因为各类文章和众多有趣的灵魂产生连接，又到现在经过了 7 年的运营，"奴隶社会"有了 2 000 多篇文章，500 多位作者，100 多篇阅读量超过 10 万的文章，超过 10 万条读者留言……我不禁感叹这一相遇真是生活无比丰厚的馈赠。

这些收获都是看得见的；看不见的是每个人内心的感受和改变。我们有很多作者分享自己关于职场和人生的选择，讲自己在世界各地、各领域走过的路和内心独白，这些分享又影响了读者。我当时就有很强烈的感觉：**喜欢读"奴隶社会"文章的人们，内心肯定是很相似的，都是"现实的理想主义者"**。

我特别想认识这些人，我们的读者也希望能互相认识。那时候没有更好的工具，于是我们就建微信群。很快，我们有了几百个群，群太多，管理是个问题，于是我们又建了一个群主群，华章在那个群主群里，因为群里有世界各地的朋友，它就被戏称为"日不落群"。这就是后来线上社区的雏形。当然，我们很快就意识到这样不行，因为这么多微信群很难有高质量的交流和方便留存的互动，于是从那时候起，华章开始构思"磁场"App（应用软件），"磁场"支持的线上社区又使得我们后来做成了"一土"，这一路走来，很神奇。

拥抱真实

到 2021 年，"奴隶社会"的一个作者李奕从她的角度回顾了这个过程。

自从在肯尼亚的农场上班，我一周只有一天休息。周日下午，在家躺平的我突然收到一诺的消息，说她看到了我从麦肯锡离职的那篇文章，问我能不能转到"奴隶社会"发。

这还用问吗？

我和"奴隶社会"已经结缘 7 年了，从某种意义上简直可以说"奴隶社会"改变了我的人生。

2014 年年初，大二的我正在刷着朋友圈，看到一篇感兴趣的文章，于是点进去细看文章内容，对作者的观点很是赞同。再一看公众号的名字"奴隶社会"，觉得特别有震撼力，吓得我差点儿没敢关注。但我看了公众号上为数不多的其他文章后，觉得都写得特别好，于是我决定关注。

那时候的"奴隶社会"刚创立不久，还不算"大号"，读者们都在一个微信群里，我记得群名叫"日不落"，因为读者们居住在世界各地，也算一个小小的"日不落帝国"。我在群里认识了华章哥和一诺姐。接下来的几年里，我读了"奴隶社会"的很多文章，对一诺从麦肯锡离职时写的《麦府十年，难说再见》记忆犹新，文里提到的"麦府"meritocracy（英才管理制度）、apprenticeship（学徒期）和理想主义的文化，坚定了我想要去麦肯锡工作的信念。

2015 年 10 月，大四的我刚收到麦肯锡洛杉矶办公室的 offer

（录用通知），就立马发信息给华章哥报喜。一诺让我写篇文章分享一下经验，我这才写下了《留学美国这四年》，发在"奴隶社会"上。在文章最后，我给自己刚刚诞生的公众号"李奕在哪儿"打了个广告（那时我的小公众号一篇文章都没有），结果"奴隶社会"把我的故事一发布，我一觉醒来就发现我的公众号突然有了2 000多个读者！可以说，没有一诺当时的鼓励就没有我的公众号，也就不会有后来从线上读者到线下朋友的很多奇妙缘分。

我于2016年入职洛杉矶办公室，2018年转到北京办公室工作，2019年到肯尼亚办公室工作。几年里，我走过三个大洲，服务了各行各业的客户。我始终记得一诺文章里写过的，麦肯锡招的人都是"现实的理想主义者"——他们有理想，对自己有高的要求，对生命意义的思考不曾停止。他们"心比天高"，生活在真实的世界，却总不忘抬头看看远方；他们心怀天下，总希望在自己有限的生命里能够给这世界留下点儿印记。

2021年，终于到了我自己和"麦府"说再见的时候。再一次写下文章发在"奴隶社会"，也算有始有终。感谢"奴隶社会"给我带来的这些改变人生的思考、际遇和缘分。

现实的理想主义者，旅程仍在继续。

是的，旅程仍在继续。

李奕的故事很有传奇色彩，她因为我的文章决定加入麦肯锡，从美国到中国，再到非洲，从毕业到就业，再到在非洲创业，转了一大圈。

但其实每个人都一直在心灵的旅程中，哪怕是足不出户。我想，这些年"奴隶社会"让我学会面对的"不敢下场"，其实并不是公共领域给我个人带来的"压力"，更深层的"下场"是面对"陌生人"真实的困境和炽热的内心。

我一直觉得自己是比较理性的人，学的是科学专业，一直读到博士。工作许多年，也是靠"分析数据，解决复杂问题"吃饭的。所以，面对人内心的情感，特别是和我"无关"的人的情感，对我来说不是一件自然的事。很多人觉得我的文章写得好，是很出乎我意料的一件事。我有自知之明——我的文章没有什么文采。如果有什么优势，无非是逻辑清楚，能把事情讲明白。

一开始，我在这些文章里看到如此多真实的内心，是有些不知所措的，从觉得有些尴尬、有距离感到全心拥抱，不是没有过渡的。这种过渡的发生，就是我看到文章会想：天哪，我也是这样的！一句"我也是这样的"让我和这个素不相识的人顿时没有了距离感。这种心的联结其实是我们和世界真正联结的基础。

我们经常收到的留言是"我在地铁上看到了这篇文章，止不住泪流"。每当看到这类话，我就似乎能看见那个在地铁上擦眼泪的你。眼泪背后共同的真情是人生的意义。**感谢"奴隶社会"这七年，让我敢于穿过理性的保护层，去面对和拥抱这人生的真意。**

光环，是每个人都会有的。

也许是成长期在学业或兴趣爱好上取得的荣誉，也许是工作时期取得的成就。

你有哪些让你自己非常骄傲的光环或是身份，请把它们一一写下来。

然后，请试着一一画掉它们。如果没有它们，你的生活会是什么样的呢？你还是你吗？你会如何看待自己呢？

扫描本书封底二维码关注"奴隶社会"公众号，在消息栏发送"**光环**"，即可收到我的更多分享。

第 11 章
不敢做梦

这个想法让我们吓了一跳。办学校？愿景的确激动人心，
但我们毕竟都是纯粹的教育外行，资金呢？资质呢？
地方呢？老师呢？一连串问题都没有答案。

更大的事，不敢碰

2015 年夏，我在麦肯锡硅谷分公司工作，因为接受了盖茨基金会的工作，就开始为第二年举家搬回北京做准备。和所有家长一样，我们准备的重头戏就是给孩子找学校。

我开始研究北京的教育，并很快意识到，当时的教育似乎陷入了一个困境：国际学校在中国把孩子当作外国人教养；公立学校深陷应试的泥潭；所谓全人教育的精英学校，建在城市郊区豪华封闭的校园里……我不认为这种用家长背景和经济实力堆砌的"精英"教育，是教育应有的样子。

更让人担忧的是，这些表面看起来非常不一样的学校，背后其实都是一个逻辑，就是残酷的竞争和淘汰。2021 年开始讨论的"内卷"其实一直都在进行。为了竞争，家庭要付出大量的精力和金钱，甚至是家庭成员（经常是妈妈）个人发展的可能性，在焦虑和痛苦中把孩子熬成一个能上"好学校"的人。但在这个过程中，似乎没有人幸福——家长焦虑，孩子紧张，教师和学校也会焦虑和紧张。

这种淘汰式教育的结果是，一个人的成功意味着其他 100 个人的失败。在竞争中"失败"的家庭必然不高兴，但就算是"成功"的家庭，其实也不一定真的幸福。

我走出校园 20 年，回头看基础教育，发现我们的孩子竟还是在"千军万马过独木桥"。

我也意识到，我这 20 年来有着各种各样的职业经历，它们一直让我在教育的终点回看教育的过程。我见过这些"成功"的孩子，看简历的确成功，但是有很大一部分孩子在光鲜的简历下是虚空的自我，他们不知道自己是谁，想要什么，能做什么。更可怕的是，还有那100个你看不到的"失败"的人。如果教育的结果是这样的，我们社会的未来怎么可能是美好的呢？

这个问题让我开始思考基础教育，思考有没有可能做些改变。但同时，我觉得无从入手，因为这些问题太宏观了，挑战太巨大了，我在教育领域有什么资历和资源？什么也没有。那我去考虑这些问题不是做白日梦吗？

这时候，机缘巧合，我看到了萨尔曼·可汗写的书——《翻转课堂的可汗学院》，我现在还记得初读时的兴奋。虽然是在美国的语境里，他在书里问的却是我想过的一类问题，比如，孩子们一排排地坐在教室里学习，为什么不能走出去，在真实世界的问题里学习？为什么放暑假？暑假的存在是因为俾斯麦时期的夏天，孩子们需要回家帮忙干农活。现在早没有这个需求了，为什么我们的学校还是这样安排？

我在书里第一次了解了现代基础教育发展的历史，了解了从英国和欧洲工业革命开始，到现在几百年，统一课程、学制安排等在当时是为了培养流水线工人而设置的。**现在社会的需求早就变了，但是基础教育和二三百年前相比并没有太多变化。**

———————

我记得去当时硅谷大受欢迎的某创新学校参观，三四年级混龄班的教室是"毛坯房"。学生们一学期的项目就是装修这个房间，从计算墙面面积、刷墙开始，之后需要设计墙边的置物架，当然还有桌椅摆放和空间设计。我当时就觉得，这个想法太酷了。

所以2015年当安迪5岁时，我把他送去了这所创新小学。

2015 年 12 月底，我和华章在加州山景城见到了萨尔曼·可汗。会面快结束的时候，可汗说楼下有一所实验学校，问我们要不要去看看。他还说："你要不就在北京的办公室楼下也开一家，两所学校的孩子们可以用即时通信软件学中文和英文。"我们都笑了，说那会是一个好主意。然后他补了一句："我不完全是开玩笑，你看看学校，然后考虑一下？"

那所学校很有意思，勾起了我自己对中小学教育体验的太多回忆，与我产生了巨大的共鸣。比如，它的建校宗旨是，"相信年轻人的能力远远超过当下社会对其的认知"。我再同意不过了！

那次参观完，我们心里似乎住进了一只小兔子，觉得也许应该考虑办一所类似的小学校。但这个想法让我们吓了一跳。办学校？愿景的确激动人心，但我们毕竟都是纯粹的教育外行，资金呢？资质呢？地方呢？老师呢？一连串问题都没有答案。

当时我找教育领域的朋友聊这件事，第一个想到的就是小橡树幼儿园的创办人王甘老师。她听了听，觉得可行，于是给我们介绍了有办创新学校经验的小月校长。

我记得和小月打了个电话，我们素不相识，但是一聊起来感觉就像老朋友。于是我问小月愿不愿意来美国的创新学校看看。她看了下日期，很快就说：可以，我去买机票。不可思议地，只是一通电话，小月就飞到了美国。

2016 年 3 月 14 日，小月、华章、我，还有几个在硅谷的朋友一起又去参观了可汗实验学校。参观完，我们几个坐在办公楼外面的长桌旁聊了聊，觉得这件事的确可以做。

但并不是因为我们认为这所学校很完美，可以直接复制，而是正相反，我们看到这所学校暴露了很多问题，但觉得并非不可以解决；既然有这么多问题，学校还能办起来，那我们也可以试试！所以，人受到激励不一定是因为看到别人成功，有时候反而是看到别人不那么"成功"，才觉得自己也可以尝试。

想做什么样的教育？一个白日梦的启航

于是，办学校正式启动了。我当时已经开始了盖茨基金会的工作，很忙碌，华章和小月负责学校的筹备工作。我的任务是为启动构思一篇公众号文章。关于学校的名字，我想到了"一土"，有两层意思，一个是好的教育应该是"土壤"，另一个就是希望它是一所"土"学校，接地气、接社区。

那篇文章暂定的题目，叫作《参与一个教育实验？》，我把草稿用预览链接发给了几个朋友，没想到朋友传朋友，在链接有效的短短几天内，竟然有了一两万的阅读量，许多人说产生了深深的共鸣。我当时觉得自己就像揣着一只小兔子，心里一跳一跳的，既兴奋又紧张。

到了 4 月 1 日愚人节那天，我改了文章标题，叫《你也为孩子上学发愁吗？》，正式推送。文中写了我眼中教育的问题，以及好教育的模样，同时宣布要建一所小学校，叫一土学校，招收 30 个六七岁的孩子和 5 名教师。文章发出去后，我既激动又忐忑，不知道会收到什么反响。没想到一石激起千层浪，当天就有了将近 20 万的阅读量，我们留下的联系邮箱收到了 800 多封邮件，陆续有了 160 多个家庭和 100 多位教师的申请，更多的人希望以任何形式志愿参与。

于是这个让我们吓了一跳的白日梦，就这样开始变成现实了。

我们把每年的 3 月 14 日——做决定那天，作为一土学校的建校日；每年的愚人节，我们会发一篇文章，纪念这趟"愚人"的旅程。

起航之后，要做什么才逐渐清晰起来，其间经历了几个阶段。

第一个阶段：建立中国版个性化教育的学校

我们被创新教育的理念激发，希望从关注每一个孩子的"小微型"学校做起。第一年，我们定的目标是用根植中国、拥抱世界的教育，培养内心充盈、乐天行动的孩子。

这是我在第一个阶段对教育的认识，可以说是在"反抗"路径化的焦虑，希望另辟蹊径，做回归本真的教育。

随着"一土"的探索慢慢深入，我愈加意识到，好的教育有共通性，那就是以儿童为中心，拥有儿童视角。这一直是好教育的本质，所以并不是"创新"，而是回归。

第二个阶段：做以儿童为中心的教育

2018 年 9 月，在深圳举办的中国公益慈善项目交流展示会的影像展有一个展位，叫"一米高度看世界"。听起来新奇，看了才明白，一米高度指的是儿童看世界的高度。这个"一米"给我留下了深刻的印象。想到我自己做妈妈学会的最重要的一个动作，应该就是蹲下来从儿童的高度看世界了。

如果从孩子的角度看成人世界，不得不说，那是"奇葩"的世界。这里面各个角色——家长、教育工作者——普遍有着对教育的焦虑感。

这种状态一直没有好转，"内卷"就是生态恶化的表象。

如何解决？大家都在"大旋涡"里，要想推动它的转向基本无望。也许我们可以尝试先构建可复制的"小生态"。

第三个阶段：教育的生态观

理想的教育究竟是什么样子呢？其实就是从"淘汰"到互相"成全"。相信我们每个人都能成为最好的自己，也发自内心地支持周围的人成为最好的他自己，就是一种成全式的生态。

我们也意识到，教育现在的问题不是孩子有问题，也不是看得见的东西——设施，课程等有问题，而是"土壤"有问题，是看不见的东西有问题。

看不见的是什么？是关系，是教育里成人的真实心理状态，是这种状态构成的"场"。和前文讲的家庭教育一样，这种"场"对孩子底层状态的影响，要远远大于"课程"等可见的东西。成人的状态和"精英"与否、资源多少、学历高低无关，而是一种来自内心的安全感和平等、真实、真心待人的能力。

真正了解教育的人明白，儿童成长时期最重要的实际是人和人之间的关系和情感。当具有这些时，孩子就像种子一样，有土壤、肥料、阳光雨露，就会自然地生长、开花、结果。

我们提出要构建以儿童为中心的教室、以教师为中心的学校、以学校为中心的社区，正是因为教育里的成人不仅有老师，也有家长。形成这样温暖安全的"场"需要的是社区、家庭、学校共同配合。

到这一步，就会得出这样的结论，办教育就是办社会。

我从 2015 年开始读陶行知的书，到这一步，我才理解他在百年前倡导的深意。他在 1924 年写的名篇《半周岁的燕子矶国民学校——一个用钱少的活学校》，讲的就是一位有社会视角的丁超校长用"生活即教育，社会即学校"的理念，在村子里的关帝庙里办学校，通过带学生做事与当地社会融合，做出了卓越的教育。

　　这个学校不但教学生读书，并且教学生做事。做什么？改造学校！改造环境！学生是来读书的，教他做事，自己不情愿，父母不情愿。这是第一个难关。教员是来教书的，要他教学生做事，固不情愿，实在也是不会。这是第二个难关。教学生读书易，教学生做事难。如何打破这两道难关？一要身教，二要毅力。

　　…………

　　这个学校还给了我们一个很重要的暗示：乡村学校最怕的是教职员任职无恒，时常变更。在这种情形之下，研究、设施都不能继长增高，真是可惜。丁先生所以能专心办学，一部分也是因为他的夫人能够和他共同努力。

　　…………

　　我们很希望大家起来试试这种用钱少成绩好的活教育。叔愚先生和我对于这天的参观，觉得快乐极了，也受了无限的感动。回时路上遇了大雨，一身都是水了。只听着叔愚先生连说："值得！值得！值得！"（摘自《半周岁的燕子矶国民学校——一个用钱少的活学校》）

很巧的是，我也是在一土学校"半岁"的时候看到的这篇文章，当时看得心潮澎湃，觉得这就是我们想做的教育。他倡导的平民教育观、开放的教育实践、关注教育的本质，以及教育里各种层次的看不见的关系，放到今天，仍然是超前于时代的。

回顾办学校的五年多，我对教育的认知是一个不断进步的过程。从第一个阶段走到第三个阶段，越来越深入，但这还不是我认识的教育的"终点"。

经常有人问我，"一土"在发展过程中最难的是什么？政策、资金、场地、教育本身等都难，但都不是最难的。**"一土"这个"白日梦"中最难的一面，其实是要面对人最深层的恐惧。**

因为教育是涉及未来的事，未来是不确定的，面对孩子未来的不确定时，成人是充满恐惧的。所以我的"终点"是意识到，真正做好教育的底层，是要面对恐惧。否则，我们对孩子的所谓"负责""规划"，无非是把我们对未来的恐惧全然投射到孩子身上而已，是披着"教育"的外壳对儿童进行伤害。

敢于面对恐惧，就是在培养和激发"心力"。而人的心力，才是人之为人最根本的能量和智慧的来源，也是一个社会真正进步的动力。

现实中的困难，比想象中更难

这些年来，"一土"的愿景越来越清晰，但我们在 2015 年 3 月的那条长凳上，意气风发地讨论教育理想的时候，并没有想到，构建这个真实、亲密、平等和安静的成全式的新生态，在现实中会异常困难。

过去几年，"一土"可谓创校维艰，经历了诸多坎坷，并且要面对大量和教育无关的难题。比如为了更合适的办学场地搬家多次，有人戏称我们是"马背上的学校"，而老师和家长们也因为追随"一土"，付出了各种明里暗里的成本，并非没有怨言。

2018年，《无问西东》上映，我记得影片结尾有这样一段话：

如果提前了解了你们要面对的人生，不知你们是否还会有勇气前来？

看见的和听到的，经常会令你们沮丧，世俗是这样的强大，强大到生不出改变他们的念头来……

我看到这一句的时候，眼泪哗地就流下来了。

我想，当时怀揣着那只小兔子发布第一篇文章的时候，如果知道以后会发生那么多事情，我也不知道自己是否还有勇气前行。

从2015年起，我在清华大学的苏世民学者项目学术顾问委员会做顾问。因为我们同时在办小学校，两边的对比就特别强烈。

记得2016年，我参加了一次苏世民学者项目的筹备会，筹款四亿多美元，有来自世界各地名牌大学白发苍苍的校长、专家参加，会议地点也"高大上"。当时正值一土学校的筹办期，同事们辗转各家咖啡馆办公，出去谈事、谈合作，没钱、没资源，只有一个宏大的愿景，于是我们开玩笑，说团队常有"传销员"的即视感。我记得那天在"高大上"的清华大学主楼报告厅开项目会的间歇，看了一眼"一土"微信群，群里正在讨论怎么才能少花钱多办事。

我想这是我独特的经历——似乎在"天上"，脚又在泥巴地里。

在泥巴地里的感觉，就是很清楚自己看到了真正的问题，也有解决的方案，但是发现资源、政策当时大多不在自己这一边，有些甚至在相反的一边。这其实也是大量的社会创新组织和公益组织面对的困境。虽然我在盖茨基金会工作了五年，但可以说，办一土学校的经历才让我切身体会了这些组织一线的生存状态和真实困难。

这些困境中有很多是看上去不起眼的小事，但却比比皆是。举个例子，一次我们搬到一个新校区，要联系每周收垃圾的服务者。小区提供收垃圾服务，小区外也能提供，外面的价格是小区里的一半。我们当然准备用外面的，但小区的管理人员不乐意了，说必须用他们的，否则就举报我们。怎么办？多交这笔冤枉钱吗？办学校，财务状况一直紧张，哪经得起这样大手大脚？但被举报是严重后果。我们进退两难，僵持之后，小区管理人员提出了一个解决方案，就是我们还可以用小区外的收垃圾服务，但是每次给小区管理员100元，做到所谓的"两全其美"。问题倒是解决了，但我不知该哭还是该笑。

类似的事情还有很多。

2017年11月初，我们当时新校区的工地施工被叫停，如果10天之内不能复工，就接不上暖气，这意味着整个冬天不能结束工程。我记得那时候我在出差，晚上和华章打电话商量办法。其实没有办法，所以打完电话，我睁着眼睛躺在床上，一晚都没有睡着。

———

身处这些困境里的时候，你会忍不住问自己，何苦呢？为什么要折腾？

这时候我就记起妈妈说过的一番话：**你如果什么都不做，那顶多有一个错，就是"没做"的错。你只要做事情，就很容易因为各种原因生出很多错。因为你在明处，各种麻烦都会来找你。** 那天我躺在酒店的床上，觉得妈妈说的话太有道理了。

那我为什么还要做这件事呢？说实话，我经常问自己。我想，是因为这一路走来，我看到了世界的很多可笑和矛盾之处，而推到这些问题的根源就会发现，如果有什么根本的解决方法，教育肯定是其中一个。

我问自己，如果什么都不做，我甘心吗？我不甘心。那就得做点儿事情。做这样的事情注定不会容易。这么一通推理，我就找到了继续做的理由，想在困境中寻找一线突破。

这些年，从清华大学到美国，从麦肯锡到盖茨基金会，我见过了世界顶级的资源，但到夜深人静的时候，我问自己，我拥有了什么呢？

钱没多少，都投入了"一土"还不够，仍然是捉襟见肘。权更是没有。名，现在也许有一点儿，但在一个复杂的环境里，很有可能瞬间变成恶名。

我真正拥有的是什么呢？

我想我真正拥有的，是透过这些经历真正看见了儿童，看到了孩子真正快乐幸福、享受学习的样子；看到了很多教师和家长认同这样的教育；看到了很多意想不到的，来自四面八方的帮助我们、认同我们的人；看到了哪怕是"恶"，也无非是他人因为无法面对自己的恐惧的应激反应而已。看到这些，我就可以选择不因为别人的恐惧而改变自己前行的方向。

2018年5月，芬兰驻华教育参赞来到一土学校，他说："一土学校，可能是我在中国6年来第一次看到与芬兰教育体系如此相似的学校，它遵循了和许多中国学校完全不同的思维模式。"

他还说了一句话："其实没有所谓的芬兰教育，我们和一土学校所做的都是回归常识的教育。"

当然，回归常识，往往并不容易。

穿越"无人区"

因为"一土"的发展，我在不知不觉中有了更多的身份。

第一个新身份是创业者。

我一直没有全职在做"一土"，但作为联合创始人，便也有了创业者的身份。"一土"要面临的各种压力，团队内部各种人与事、为难的情境、创业的挑战，我也都需要面对。

除此之外，创新教育和一般的"创业"不同，你还需要当一个理念的倡导者。这是我的第二个新身份。我要发声，要传播理念，要和老师、家长一起构建好的生态和社区。

但是一旦在公共空间发声，就会遭到非议和外部舆论的压力。面对这种质疑，我只能听着。大部分人看不到事情的全貌就指摘，从他们的角度可以理解。这时候，我只能劝自己，他人的指责反映的是他们看到的世界，而不是我们真实的样子。

倡导者的身份带给我最大的收获，是了解了很多一线草根组织了不起的教育实践，以及在社会的各个角落做培养"珍贵的普通人"的努力。这些故事往往不会被听到，"奴隶社会"自然就成了这些故事传播的平台。

其中一个例子来自实务学堂创始人欧阳艳琴。

她的父母就是进城务工人员，她小时候是留守儿童，后来做了记者。她在北京创办了实务学堂，招收在城市上不了高中的务工人员的孩子。学堂提出的目标是为社会培养"珍贵的普通人"。这真的是正确的教育目标，但是过程困难重重。他们第一次鼓起勇气招生，只能用"电线杆小广告"去找到他们想吸引的人群。广告上有他们的电话号码，等了一天，终于等到了电话，还没来得及兴奋，却发现电话那头竟然是城管。但是再困难，学堂也慢慢办起来了。艳琴给学堂招生的稿子打磨了几周，大改了几次，在"奴隶社会"上发布了，名为《如果教育不能改变阶层，还要做教育吗？》，阅读量超过20万，帮学堂连接了资源。"奴隶社会"有一位读者是农村出身，看了文章，就介绍姐姐的孩子来报名。

我们看到自己在做的事能真实影响一个个活生生的人和家庭，真是无比感恩。

虽然是我们通过"奴隶社会"传播这些朋友的故事，似乎在帮助他们，但最大的受益者是我自己。我被这些一线教育者和创业者的故事感动，不断地收获前行的力量。

当然，在这些与"一土"有关的身份之外，我的其他身份都没变：盖茨基金会中国办公室首席代表，那是一份高要求的全职工作；三个幼小孩子的妈妈，2016年，他们三个分别是6岁、4岁、2岁；一个一直在做日更、拥有百万读者的公众号联合创办人；一个写作者。

这些身份似乎是一个个光环，但我在大部分时间里并没有感到光鲜，反而经常感到自己是在无人区穿越，只有自己和周围的茫茫一片。

欧阳艳琴在 2021 年 6 月写了一篇回顾文章《一个诚实的回答：教育创业 6 年，后悔了吗？》，讲自己 6 年来的感受。

6 月 9 日，我踏上了广州的土地。尽管我已经多次来过这里，但那一次，心情还是很不同。刚下动车我就想回北京了。我还把箱子落在车上了，想起来时，已经走到了地下通道，幸亏车子还没开走。那时广州的马路上，还有从树上掉落的小杧果。

接下来的一个月，我每天忙着装修、参加培训、招募志愿者、招收学生、准备夏令营。直到 7 月 6 日，"科蚪空间"开业。

但在忙碌的日子里，占据我内心的不是充实感，而是不真实感，至少是自我怀疑、孤独和不适应，甚至有些绝望。因为我确实离开了既有的轨道和熟悉的生活圈、工作圈——到了我父母打工和生活的地方，一个我并不熟悉的地方。没人知道我的情绪。从那时开始，我要把自己训练成一个坚强的创业者。

一晃 6 年过去了。如果回到 6 年前，我还会做出同样的选择吗？

我不知道。

这一句"我不知道"是诚实且真实的状态，是正处于无人区的状态。

我的状态也是这样的。

很多时候，我并不知道答案。

从表面看，我的生活很忙碌，似乎井井有条。与此同时，我要面对一个接一个的危机，大到政策改变带来的影响，小到员工之间产生的矛盾，家长之间或家长与学校发生的纠纷。这些时候，我会产生自我怀疑，周围好似茫茫一片，就算我大声呼救也得不到回应。我心里没底，反复问自己：我在走的是一条通往光明的路吗？我走错了吗？这样走下去，是不是会抵达沼泽，通往死亡？

我问了问题，但是没有人回答。

艳琴曾说她感到动摇的时候就问自己："当我老去或者离开这个世界时，我希望自己给这个世界留下什么？"

我在无人区也是靠着这句发问坚持前行的。

这个问题的答案已经在处处显现，当你看到周围的人因为你做的事情真的有一些不同时，你就明白了答案是什么。我看到的是孩子眼里的光和成人眼里的希望。

经历许多困难后，为什么这么多人还在坚持做梦，我想，可以用泰戈尔的一句话回答：

> 我们生命中也有有限的一面，那就是我们每前进一步都在消耗自我。但我们的生命中还有无限的一面，那就是我们的抱负、欢乐和献身精神。

我想，教育也好，人生也好，归根结底就是要发展人的生命中无限的一面。

有这无限的一面，也就走出了无人区。

觉察练习 · 做梦

你还记得小时候的梦想吗？

比如当一个作家、舞蹈家、科学家？

我们也许常常因为现实阻碍而掩埋了梦想，但是现在，请你尽情畅想。

梦想里的你是什么样的？先想想宏观的方向，再想想微观的具象，越具体越好，比如你穿什么衣服，在什么场景里。

梦是人生的无限性。每个人的人生都有无限性，我们有时候只是忘了这一点。

扫描本书封底二维码关注"奴隶社会"公众号，在消息栏发送"**做梦**"，即可收到我的更多分享。

第 12 章
公益，一个更"大"的世界

你在百年后，希望被如何记住？

童年种下的种子

"奴隶社会"、盖茨基金会、一土学校，都让我慢慢看到了一个更真实、更完整的世界。

从某种程度上来说，这些际遇得益于我在童年的时候，家人种下的种子。

小时候对我影响最大的是我的姥姥和姥爷。姥姥是典型的慈母，看什么都带着爱：路上看到受伤的小鸟，会带回家养伤；家里养鸡，会在喂食的时候和它们说话。姥姥的父亲是当地的开明士绅，不富裕，但家里有粮，饥荒年就开仓放粮，结果自己家的人饿得吃不上饭。姥姥上学的时候一共带了三件衣裤，发现同学里有一对姐妹只有一条裤子，于是背着家人把自己的裤子送给同学。后来我妈妈上学，同学家以糊火柴盒为生，交不起学杂费，妈妈求姥姥帮助。姥姥当时要拉扯 8 个孩子长大，但还是应妈妈的请求，给同学垫付了学杂费。

妈妈也是这样的人。我妈妈失业那会儿，姥姥住院。我妈每天去送饭。那时候医院门口总有跪在那里为亲人治病筹款的人。天天去医院的人看到此情此景都麻木了。我妈如果看到，总是去给点儿钱。有一次看到一个小姑娘给她的妈妈筹钱。我妈妈觉得太可怜，一下子给了 100 元。她回来后，被朋友提醒那是骗子。但妈妈说：万一那是真的呢，谁家没有难过的坎儿？朋友又说：你这点儿钱有什么用。妈妈说：帮一点儿是一点儿，至少今天她们能吃顿热饭。

我的姥姥和妈妈日常言行中的善良，对别人苦难的感同身受，对比自己境遇更差的人的同情和慷慨相助，给我的童年留下了珍贵的记忆，这些思想也成为我后来的人生底色。

————————

姥爷对我的影响在于他一生都在关注"大问题"。我有记忆的时候，姥爷就已经离休多年了，我最深刻的印象就是他每天都在勤奋地看书、看报。我每次回家，姥爷都会和我讨论一些他看到的信息、新闻，包括科技发展、国际局势，不一而足。姥爷似乎从来没把我当孩子，他每次看到这些问题都会问我的看法。姥爷给我种下的种子，是"所谓的'大事'其实都和我们有关"。

姥姥和姥爷是生活上非常自律的人。姥爷每天早上不到5点就起床，锻炼身体，喝茶，读书看报。姥姥也是，在生活的方方面面，既节俭又能照顾好家人的生活。姥姥都是在下午去市场买菜（我暑假的时候都跟着她一起去），因为下午收摊的时候，菜便宜，而且菜贩乐意聊天。很多菜贩都认识姥姥，菜便宜，姥姥就多买点儿，大家都不亏。

我后来求学、出国、工作的这些年，姥姥姥爷和妈妈给我留下的这几根"金线"贯穿了我的经历和思考。

这几根"金线"也让我知道，对大事情的思考和过好自己的生活不冲突，不需要分割来看。我可以从多坐一次公共交通开始参与环保的大问题，也可以从我们力所能及地做一次捐赠支持优秀的公益组织。

2008年我回国时，觉得自己的工资不低，希望每个月能固定捐一笔款。但那时候我对公益慈善领域一点儿也不了解，就麻烦我在北京办公室的同事找一下靠谱机构。同事说有全国妇联，所以我联系了妇联，但发现捐赠流程很复杂，就不了了之了。不过，那个念头一直在我心里。

直到几年之后，我遇到了公益慈善的领路人。

从小学校看到的大问题

虽然王甘老师自己可能不知道，但她是我在从事教育并随之关注更大的社会议题的路上，从感性理解到理性思考，进而付诸行动的启蒙者，我对她心怀感激。

王甘老师在北京大学读了本科和硕士，在美国耶鲁大学拿到了人类学专业的博士学位。她于1997年回国，因为找不到合意的幼儿园让孩子上，就在北京创办了小橡树幼儿园。当我在朋友的盛赞下知道该所幼儿园的时候，它已经创立十几年，好口碑远远超出了其所能承载的学童数。

2012年，我家老大正值入园年龄，我参观了小橡树幼儿园之后，觉得它和我的气场太合了。这所幼儿园有朴实的硬件条件和处处用心打造的细节，是真正寓教于乐的实践派。举个例子，房子因为是老楼，走廊天花板上有水管，但在老师的精心装饰下，水管变成了"火龙"和艺术作品的悬挂带。这样的细节数不胜数。

那时我尚在麦肯锡工作，但依然挤出时间在每个月的某个周五，怀着见偶像一般的心情跑去幼儿园的图书馆听王甘老师亲自讲授的家长讲座。

2013年6月，在幼儿园每年一度的毕业典礼上，王甘老师致辞，倡导"和孩子一起做行动者"。她说：

我们的生活中有很多不那么令人满意的状况，比如空气和水的质量，交通和食品安全，住房和教育问题……当诸多的不满意充斥我们周围时，我们的第一个反应往往是发声。从小生活在被家长、老师、上级安排一切的环境中的我们，自然而然觉得，我们要做的只是发声，而行动是要由该负责的人负责的。

幸运的是，我们的孩子们将会与我们不同。

他们看到父母在面对不满意时，没有止步于抱怨，而是采取行动，把学费交给自己信赖的学校，哪怕这所学校的房子很破；把购买食品的钱交给更安全的生产者，哪怕要交的钱因此更多……他们在努力把生活变得更令人满意。在这种努力中长大的孩子们，会成为比我们更勇敢、更成熟、更老练的行动者。当他们看到不满意的时候，会立刻想自己可以做点儿什么，去促成改变。他们不仅会有足够的判断力说：王老师，你什么时候办小学？他们还会有这样的行动力说：王老师，我要自己办一所学校！

当时的我站在"蟒山脚下的太阳地"里认真听着，并没有预见三年后，我们真的办起了一所学校。但这番话与我当时内心的很多声音暗暗相合，于是我知道自己不会是一个止步于抱怨和发声的人。

2014 年，我们回到美国生活，和王甘老师一同参加了 SVP[①]加州行，认识了很多公益创新领域的朋友，了解了美国在教育公平方面的很多实践。我后来转行公益，建学校，关注教育和教育公平，加州行是起了启蒙作用的。

---

① SVP 全称为 Social Venture Partners，意为"社会风险投资伙伴"。

我们去参观的一家学校招收墨西哥的非法移民，为其提供从小学到高中的教育，学生年龄不限，所以竟有不少二三十岁还在读高中的学生。因为这些学生要去打工，所以学校从早上7点开到晚上10点，大家可以选择上班前或者下班后去上学。有些学生已经有孩子了，学校还有免费的华德福幼儿园，办学品质很高。学校的创办人是一位墨西哥裔的老太太，是当年第一个拿到斯坦福大学教育学博士的墨西哥人，我们参观的时候她已经去世，她的女儿在做校长。

让我很震惊的是，这所学校不仅能拿到美国政府的经费，而且录取时不查学生的加州身份证件，也不查社会安全号码（相当于身份证号码），就是为了不让学生感觉不安全，害怕美国移民局的人会来抓他们。我问学校负责人，为什么收非法移民的孩子的学校还能拿到美国政府的经费？负责人说，非法移民由移民局管理，但是孩子在这里就有受教育的权利，当地政府有相应的支持。这个观点对我来说真的是颠覆性的。

我记得当时和王甘老师讨论，学校一方面收的是非法移民，另一方面能得到政府的支持，看似非常矛盾的政府行为显示的是制度对所有学龄儿童受教育权的尊重。

王甘老师在办小橡树幼儿园之外，多年来一直走在促进教育公平的路上。我还记得她说过："**作为社会中比较幸运的一群人，我们对社会负有责任。归根结底，世上的生命本为一体，以助人始，将以助己终。**"

从2015年开始，我在盖茨基金会工作，其核心价值观是"所有生命价值平等"，做的是和消除不平等相关的工作。那时候，我慢慢开始理解公平的含义和意义。在这方面给我启蒙的书是资中筠先生的很多著作。她在《20世纪的美国》一书中说，如果我们看人类社会几千年来的历史，就会发现永恒不变的主题是这两个词：发展和平等。这句话令我茅塞顿开，有了一个看世界、看社会的新角度。

走进慈善，看到不一样的世界

我加入盖茨基金会以后，慢慢开始了解全球议题的"发展和平等"是什么意思。

我在基金会和麦肯锡的工作有本质上的相通性，都要做复杂问题的分析，做一线的调研，从专家那里学习，制定战略，然后设定预算，跟进项目执行，并不是简单的"施舍"和"做好事"。这和我之前理解的，也和大家平日理解的"慈善"是很不一样的。

怎么个不一样呢？

在回答这个问题之前，我想先谈谈对几种慈善形式的理解。第一种是传统慈善，比如大家熟悉的各种爱心捐赠或者做志愿者。第二种是战略慈善，比如为一些社会问题的研究提供资金，希望能够探索深层次的解决方式。有别于上述两类慈善行为，还有一种慈善的重点在于驱动系统性变革：带动多方参与，建立跨领域合作；注重资源的杠杆效应，让慈善投入发挥更大的效益。我们称之为"催化式慈善"。

前文说过，盖茨基金会的成立源于比尔和梅琳达发现世界上还有很多对人类影响非常重大但却被忽视的"真空"地带。

比如到 2015 年，全球每年仍有近 600 万新生儿死亡 [1]，其中有三分之二新生儿 [2] 的致命病因都是疫苗等简易干预措施可以预防的。这些孩子往往死于一些在发达国家几乎不会致命的疾病，比如麻疹、疟疾、乙肝、黄热病等。你可能会以为，如果有那么多孩子死亡，那就应该会有大量的投入来拯救他们，但你错了。当没有消费者会为一项研究买单时，市场是不会在这项研究上投入大量资本的——穷人的购买力有限，因此他们的需求不会被市场关注。这也是为什么我们在过去的很多年都没有疟疾疫苗（世界上首款疟疾疫苗于 2021 年才被研发问世并获批用于儿童）。

我觉得盖茨基金会做的最了不起的事情之一，就是为 GAVI（全球疫苗免疫联盟）提供了 7.5 亿美元 [3] 的种子基金，和其他合作伙伴一起实现了全球免疫治理的系统性改变。15 年来，全球有 5 亿儿童接种了 GAVI 的疫苗，该疫苗避免了 700 万孩子的死亡 [4]。GAVI 是怎么做到的呢？

第一，加快未广泛使用的疫苗和新疫苗的推广。资助包括海地、索马里等一直被认为"不可能涵盖"的地方。

第二，加强受援国的卫生基础设施。为许多电力供应不稳定、没有冷链设备，或者没有道路的贫困地区解决相关问题。

第三，提高筹资的长期可预见性和稳定性。推动政府、企业等多方参与和支持，同时敦促受援国提升主人翁意识。

---

① 数据来自联合国官网。
② 数据来自约翰斯·霍普金斯大学官网。
③ 数据来自 GAVI 官网。
④ 数据来自 GAVI 官网。

第四，重塑疫苗市场。整合需求，形成规模效应，从而降低企业的投资风险和生产成本。

这就是催化式慈善的力量。用我这个外行的话讲，催化式慈善就是"最不像慈善的慈善"。盖茨基金会虽然是全世界最大的基金会，每年捐赠额在40亿~50亿美元，但是对降低世界范围内新生儿死亡率这样艰难的工作来说，仍然杯水车薪。所以，基金会希望捐赠的资金能够起到催化剂的作用，吸引更多资源，汇聚成一个可以共同发挥作用的平台，从而实现系统性的改变。

在这个过程中，基金会承担了政府无法承担、企业无力承担的风险。失败是不可避免的，但这是解决问题的必经之路。

我在基金会工作后愈加发现，**类似疟疾这样的"真空"地带无处不在，要做的其实还有很多。**

我在麦肯锡的时候，欧洲、亚洲、美洲都去过，很多行业都了解过，似乎看到了世界的全貌，但是直到接触这些全球公共卫生和全球发展的议题，我才发现自己曾经看到的无非是一个中产阶级的世界，那是一个市场可以发挥作用的世界。在这之外，还有很大一部分世界是平常看不到的。

这曾经是打动了盖茨做慈善的原因，它也打开了我的眼界。

有一次，比尔·盖茨接受采访，记者问了一个听起来比较鸡汤的问题：盖茨先生，你百年之后希望怎么被世界记住？盖茨回答，希望他的孙子辈对他有美好的记忆，除此之外，没别的了。

记者问：为什么？盖茨说：我现在所有尽力做的事情都是在消除不美好的东西，我希望这些困扰、给我们带来那么多痛苦和孩子的死亡的病不再存在。我希望以后在跟孩子们提到疟疾的时候，他们会问："什么是疟疾？"如果能做到这一点，我的生命就有意义了，所以没有必要被记住其他方面。

盖茨说过一句话：

敢于冒险的人需要支持者，好的想法需要布道者，被遗忘的群体需要倡导者。

可能跟他相比，我们每个人的财富都相差甚远，但是我想在这番话里，每个人都有可能找到自己的角色，可以共同为一个更加美好和公平的世界而努力。

觉察练习 · **美好**

你心中理想的促进社会发展和平等的榜样是谁？他／她在做什么事？拥有哪些你喜欢的特质？

这些特质，其实你也有。想一想在生活和工作里，有哪些小事是你现在就可以做的？

扫描本书封底二维码关注"奴隶社会"公众号，在消息栏发送"**美好**"，即可收到我的更多分享。

第 13 章
世界与我们每个人有关

所有的经历，从助人始，以助己终。

几个了不起的中年人

盖茨基金会的工作开阔了我的视野，但让我最难忘的，是一些有血有肉的人和他们的故事。

中国农业大学的李小云老师

他是扶贫专家，但不仅仅停在研究理论层面，而是自己动手在云南西双版纳的河边村成立了一个名为"小云助贫中心"的公益组织，真切地帮助这个村庄在保留瑶族文化特色的基础上，从"深度贫困"发展到"自给自足"。

这个组织到现在已经实践五年了。小云老师给我讲了做项目中很多经历里的一个小故事。他第一年去做这个项目，村里没有地方住，他在县城里租了个小办公室，当时的任务之一是预订各类建材做村子重建。当地的建材卖家觉得不可能有北京的教授来做这事，觉得他是个骗子，堵在办公室要他先付全款。正僵持的时候，小云老师在德国的学术合作伙伴打来电话，于是他就接起电话，讲起了流利的德语。电话打完，那个建材商目瞪口呆，这才相信小云老师的身份，同意他先付定金。

小云老师跟我讲到他曾经去德国做学术交流，让他印象最深的不是城市和学术的发达，而是哪怕是农场主家里的厕所也是干干净净的，还摆着鲜花，墙上挂着画。因此，他回到中国农业大学任教，就从倡导学校的厕所卫生做起。他说，再高大上的学府如果厕所臭气熏天，也是不文明的表现。后来他在河边村带村民重建民居时，也注重了这一点，所以每一个厕所都有简单自然的装饰，传递着如德国农场主家的美好。后来"一土空间"也和小云助贫合作，每年都带孩子们去河边村建公益营地，和村里的孩子们一起玩游戏、徒步雨林，体验当地的瑶族特色文化活动。孩子们也协助建立村里的图书室，回城后还组织小朋友们捐赠书籍。

宫颈癌专家乔友林教授 ①

乔教授下过乡、插过队，本硕分别就读于四川医学院（四川大学华西医学中心）和大连医学院（现为大连医科大学），又在美国约翰斯·霍普金斯大学获得公共卫生博士学位；曾工作于中国医学科学院和美国国家癌症研究所……十多年里，他积累了流行病学、公共卫生研究领域的丰富经验。1997年，中国医学科学院肿瘤医院去美国招聘人才，乔教授就应召回国服务。

虽然顶着"跨世纪学科带头人"的头衔，但乔教授的科研启动基金只有一万元，在当时连买一台笔记本电脑都不够。当时宫颈癌的发病率和死亡率在很多发达国家都在下降，可在中国，不管是在城市还是在农村，宫颈癌的发病率都在上升。这是一个能挽救许多病人生命的机会，他很珍惜。

为了搞宫颈癌防控，他写起了科研经费申请。而他拿到的第一笔宫颈癌研究基金，有一半是来自中加小学的孩子们在北京大使馆内义跑募捐来的善款，那是一大包零钱，有五万多元。他还申请到了一笔有几万元的创新基金，又想方设法拉了些耗材和设备的赞助，再加上美国的一位好心教授送给他几台仪器和一些试

---

① 关于乔友林教授的故事，参考资料为公众号"乐天行动派"的一篇文章：《乔友林：我的梦想是让中国女性彻底告别宫颈癌》，在本书中有删改。

剂，就开始做课题了。

因为钱少，要尽量省着用，乔友林带着一组比他年纪还大的老教授来回奔波，交通工具只有拥挤的大巴车。他们觉得30元一晚的旅馆太贵，就住在山西省长治市襄垣县妇幼保健院的办公室和空置病房里。一帮人省吃俭用，做了6个星期，做出了我国第一项HPV（人乳头瘤病毒）感染情况和宫颈癌筛查方法的大人群研究。

这些年，乔教授为中国的宫颈癌研究做了大量贡献，但是外人估计很难想象，这些研究是在如此艰苦的条件下完成的。

公益人陈行甲

我认识行甲的时候，他是湖北巴东县的县委书记，希望能在扶贫方面和盖茨基金会合作。虽然当时没有合适的合作角度，但是我们成了朋友。

他的故事在其自传《在峡江的转弯处：陈行甲人生笔记》里多有叙述，其中很多经历可用惊心动魄形容，推荐大家看这本书。他后来放弃在体制内继续上升的机会，转而做公益，推动了大量贫困地区儿童大病救治的工作。新冠肺炎疫情暴发之后，他也做了非常有创新性的支持英雄家庭的工作。行甲这些年做每一件事，都遇到了非常大的困难，甚至遭受过舆论攻击和生命威胁。为了确保他的安全，在他跑步锻炼身体时，曾有很多不相识的市民自发陪着他跑。这种面对巨大压力和危险还能保持心底明亮的精神和勇气，让我无比敬佩。

行甲还在书里讲到患抑郁症的经历，可以说是九死一生。能够走出来，是不幸中的万幸。但你和他当面聊天时完全看不到阴霾，他的眼睛放着光，永远带着笑容，给人带来希望和力量。

我的"一诺老友记"①有一场就是和行甲做的。那天，在场的一个朋友问行甲每天这么阳光，有没有过黑暗的时光。行甲分享了在给妈妈上坟的时候，突然被犯罪团伙抢劫和殴打的经历。如果他不分享这段经历，你不会意识到他是遭遇过这些恶性事件的人，你看了他写的书才会知道，这样的黑暗时光可以说比比皆是。但他每次都像掸灰尘一样掸掉这些噩梦一般的经历，轻装上路。

李小云、乔友林、陈行甲有着共同点，即他们都是"高级人才"，是教授、专家、官员，都有留学经历。他们虽然在不同的领域，但都选择在人生过半的时候到第一线做开创性工作。**在这些人身上，我看到的是标签之下生而为人最朴素的同理心、大爱、智慧和勇气。**

身边那些逆流而上的力量

除了在公益领域这些年的工作，我对社会问题的关注和了解也来自做"奴隶社会"的经历。因为"奴隶社会"没有商业目标，所以凡是收到让我们感动的投稿，我们都尽量发。很多打动人的稿件来自公益人和公益机构。

"奴隶社会"至今已合作过100多位公益作者、20多家公益机构，发起过200多次公益倡导。每年"99公益日"②的那三天，编

---

① "一诺老友记"是诺言社区内的一个节目。
② "99公益日"是由腾讯公益联合数百家公益组织、知名企业、创意传播机构和众多明星名人共同发起的一年一度的全民公益活动。

辑都在加班和公益人一起打磨故事。每年，我们都会支持3~5个公益项目，创造几十万次阅读量，读者和"奴隶社会"一起捐的款项有几十万元。历经7年多，"奴隶社会"协助发起的所有公益项目筹款总额已超百万元。

然而，比起日常的职场、情感这些对普通人"有用"的文章，和公益相关的文章不管是点击量还是转发量都非常少。我由此意识到这些社会议题遇到的困境：就算我们愿意主动为一些群体发声，推进也是很困难的。

我们坚持发这些文章是因为我们看到了社会"真空"地带，也看到了很多人不懈的逆流而上的努力。

第一个例子是城市流动儿童的教育。我去北京皮村的一所学校参观。校门口的一句话"流动儿童也是祖国的花"让我掉了眼泪。这些办学者在城中村的缝隙中坚持办学，遇到过太多困难，但是都克服了。沈金花校长是湖南农村人，是家里的第一个大学生，大学专业是社会工作，所以毕业后就在皮村做社会工作。沈校长有两个孩子，妈妈和他们同住，一家五口住在不足20平方米的出租房里。我每次见她，她都笑呵呵的，似乎没有什么事难得倒她，但是大到学校的房租，小到孩子在冬天没热水洗手，都是让她操心的事。就在这一次次克服困难的坚持中，学校办到了现在。

第二个例子是江西的乡村教师清浅。她很有文采，文字真实、有力量，曾在"奴隶社会"上发表文章《停止表演，回归真实，是希望的开始》，分享了农村教育的真实困境。于是我们同步宣传和"C计划"[1]合作，仅需1元，乡村教师就可以参加教师批判性思维

---

[1] "C计划"是一家致力于批判性思维教育的机构，"C"指的是critical thinking（批判性思维）。——编者注

训练营，我们由此实现了公益理念与项目传播的双赢。而清浅老师这几年间从一位备受煎熬的乡村教师，成了一位儿童公益项目的共创者。

第三个例子是由杜爽与陆晓娅两位老师共同创办的歌路营。流动儿童令人心疼，留守儿童也非常不易。歌路营就是一个支持留守儿童的公益机构，立志为全国农村寄宿学校的孩子们送去"睡前故事"，陪伴孩子们的心理健康成长，和"奴隶社会"长期合作。2018年"99公益日"筹款，"奴隶社会"发文支持歌路营的"新1001夜——农村住校生睡前故事"项目，筹集近30万元。

其实这些钱并不多，但我相信每做一件小事都有可能起到推动作用。瓷娃娃罕见病关爱中心给"奴隶社会"发过一个奖牌，叫"传播倡导伙伴"。我很喜欢这个牌子，因为知道写文字和讲故事真的可以推动社会做一些改变。

虽然很多例子鼓舞人心，但大量的问题是没有发出声音的。中国公益律师领军人物佟丽华讲，他最开始接触青少年，主要是研究如何防范青少年犯罪。研究后他才发现，青少年之所以走上犯罪的道路，更多是家庭、社会、学校的综合问题。因为对孩子来讲，路越走越窄，这才被动走上了犯罪之路。他因此从青少年犯罪方面的诉讼律师变成儿童权益的倡导者，因为儿童和青少年"No choice, no voice."（无法选择，无法发声），是典型的社会弱势群体，所以社会公共资源应当为这样的群体发声，但现在做的远远不够。

"奴隶社会"收到的这些故事让我能不断看到身边的泥泞，也看到在泥泞里不放弃的人在做了不起的努力。2017年，"奴隶社会"出版的第一本文集《女神经过》的版税有10万元，我们征得所有作者同意，将版税捐给了北京市银杏公益基金会，用于基金会培训和支持公益作者稿费，让社会创业家们的故事走进社会大众的生活。直到2021年，这笔钱还剩下30%左右。这小小一笔钱的资助，促进了大量公益传播方面的工作，"奴隶社会"也发表了不少"银杏伙伴"的故事。区区几万元能起到催化的作用，真是一件令人欣慰的事。

世界和我们每一个人相关

从2014年懵懂的加州参观之旅到盖茨基金会的工作，以及通过"奴隶社会"联结的公益人和行动者，再到我在教育和公益领域的行动，这些年的观察和经历似乎画了一个圈。

有了这个视角，我再看周围的事情时，角度会不一样。

举个例子。2017年甘肃省定西市的高考考生魏祥身体严重残疾，以648分的成绩考上清华大学，因为需要妈妈照顾，所以他给清华大学写信，希望能带妈妈一起到学校。

校长亲自安排招生办回信，确认提供所有可能的资助和支持。这是一所学校在能力范围内能做得最多的了。相关的多篇阅读量超过10万的文章也让清华大学圈粉无数。

作为校友，我给母校点赞，但作为一个社会人，我心里很难受。

魏祥是考了高分上的清华。但退一步看，一个身体严重残疾、家庭困难的学生考高分上清华大学是极小概率的事件。如果没考上呢？如果考上的是技校呢？或者干脆没法上学呢？孩子的疾病、破碎的家庭、这个妈妈的痛苦和崩溃，又有谁知道、谁关心呢？

进入现代社会，弱势群体的救助还要靠"好心人行行好"，其实是一件很无奈的事。

除了靠小概率的好心人事件，还有什么可以依靠？

其实答案很简单，是社会的大病救助体系，对困难家庭的支持体系，对病人家属的心理支持体系，对"非正常"和"边缘"家庭和个人的有温度的制度安排和支持。

但这说起来简单，建立起来是非常困难的。现在有政府部门和很多机构在努力，但我们做得远远不够。

魏祥的情况背后是多方面的社会问题。

机会均等的问题

清华大学曾有一则新闻，是成立了专门的奖学金，能让家里有困难的孩子也去参加出国交流的活动。这是一件很棒的事。

但这也说明，在此前的若干年，家境不好的孩子几乎和这些机会无缘。

圣迭戈的特许学校① High Tech High 的高中部每年夏天有各种暑期实习项目。一土学校与其有教师学习和培训的合作，该校对送学生来中国实习有兴趣，不过提到一个"困难"：除非实习项目

---

① 特许学校（Charter School）是美国公立学校体系中的一种创新形式的实验性学校。

能够保证所有的学生（包括最穷的）有足够的资金支持，否则他们是不会参与的。

我知道这个要求时很感动，它表面似乎是钱的问题，实际上是对所有人机会平等的关注。

弱势群体的不易

魏祥很了不起，有这么严重的健康问题，还和普通学生一样上课、考试，遵循同一个标准入学。对他个人来讲，这太了不起了，值得尊敬。

但是我们的评价体系用和健康人同样的标准要求魏祥这样的学生，有问题吗？

我妈妈一个德国朋友的女儿来北京旅游，她在科隆大学读医学专业。德国虽然没有高考，医学却是抢手专业，高中毕业成绩肯定得非常好才行。我妈夸她说她肯定成绩很棒，她说其实不然，因为她患有严重的肾病，寿命有限，所以在德国，这一类人可以任意选择大学和专业。那个姑娘提到自己寿命有限时，语气平和自然，我妈非常受震撼，大大感叹如此体现人性关怀的社会安排。

所以，我们对明显的弱势群体是否该有不一样的安排？因为这个群体里的"魏祥"是极少数。其他人达不到正常人的水平，怎么办呢？

对弱势群体设定同样标准是一种变相的不平等。从这个角度讲，大众和媒体对这种极少数达到正常人水平的个例的大声欢呼和追捧，是在隐形地加剧这种不平等。

就医和生活的苦

虽然魏祥的信仅有几十个字的描述，但有重症病人的家庭大概都能想象他求医会有什么样的体验，有多少痛苦。

2017 年，94 岁的姥姥突发高烧住院，住院区没有空床位，不得已，在急诊室 8 人一间的病房里住了三天。同一间病房里有两个喝农药欲自尽的。一个是自家小商铺被强拆，没有其他生路的；另一个是在城市工作的女孩在农村的爸爸患了抑郁症，几次自杀未遂。最终，小商贩被救过来了，农村爸爸基本救不过来，他的女儿最后放弃了治疗。

上面的例子和魏祥似乎没有什么关系，不过去过医院的人都知道，"人生实苦"满眼皆是，病人、家属、医务人员，都有各自的苦和难。

————

面对这些人说"请选择相信"，其实没有用。我们需要对重病病人的救助体系、对病人家属的心理支持体系和完善的医疗体系。有很多人在做这些方面的工作，但我们还有很远的路要走。

助人，就是助己

我们其实不需要仅从这样极端的例子去关注和了解体系问题。如果注意观察，我们就会发现这样的例子比比皆是。

我在盖茨基金会工作的时候，办公室离北京亮马桥附近的官舍购物中心不远。有一段时间，官舍外面的人行道上有一位卖自己的剪纸作品的老爷爷。

我路过了好几次，有一天忍不住停下脚步和他聊了几句。他是河南南阳人，旁边放着的几个脏兮兮的包就是他所有的家当。他说河南有 108 个县，而他的剪纸样式是独一份。他没有手机，没有二维码，一张作品卖 25 元。我取了现金，买了两张，但心里挺难受的。50 元能帮上什么忙？只能聊以自慰，至少可以帮他度过这一天吧。

之后他怎么办？他有没有家人？怎么到北京来的？晚上住哪儿？城管来了怎么办？靠手艺挣钱比乞讨强太多，但这个手艺还能维持多久？等他年纪更大了，动不了了怎么办？社会支持体系在哪里？

我当时在"奴隶社会"上发了一篇文章，希望路过的朋友能买几张，即使解决不了长远问题，先做个"好心人"也有一定的帮助。然而，除此之外，我们还能做什么呢？

希望能有更多的人看到背后的问题，除了政府进行改革，还要支持社会组织和公益组织在这方面的行动，给他们更多空间和资源，而不是每次都靠发"善心"解决个案，才可以真正推动社会的进步。

在我思考这些问题的时候，已经有朋友在做这样的事了。

李治中（笔名"菠萝"）是我在生物系的师弟。因为母亲有治疗乳腺癌的痛苦经历，治中在美国读了癌症生物学博士，后来做癌症方面的科学家。他在做科普工作时，发现了中国和美国患癌儿童生存率的巨大差距，以及中国在相关支持体系上巨大的提升空间。

治中在 2018 年放弃了在美国的工作，举家搬回中国，全职投入深圳市拾玉儿童公益基金会（以下简称"拾玉基金会"）的工作，希望系统地推进儿童癌症的病患支持体系。他一方面通过试点探索能在一线落地的解决方案，另一方面做癌症科普和倡导。他的一系列演讲既风趣又专业，非常有传播力，是一股特别有影响的温暖力量。现在治中开始做脱口秀，也是精彩异常，让人捧腹。

治中的行动切实帮助了很多患者家庭，也让我们看到从个体的投入和担当开始，探索系统提升可以真正推动一个领域的进步。

这些思考和行动看上去是我们在"做好事"，不论是伸出援助的手，还是思考其背后的问题，似乎都是一种对弱者的同情和"施舍"。

但是，"施"与"受"其实是一体，因为每个人都有可能在某一个时刻成为"弱势群体"的一员或者"边缘人"。因此，倡导更具系统性地解决社会公平的问题，推动真正的社会进步，将惠及所有人。

退一步讲，人之为人底层的矛盾，无非是"大我"和"小我"的矛盾。

一方面，我们似乎很渺小——世界这么大，问题这么多，我能做什么？另一方面，人有无限可能，我们对远方发生的事可以产生同理心，能共情，愿意付出。

这些年的我一直在两种状态里颠簸。刚刚看到的亮光似乎很快就被黑暗淹没，但是在黑暗里，又会出现点点烛光。那些亮光来自我们收到的一篇篇文章，认识或不认识的人的一次次坚持为善总能给我力量，让我不断前行。

我想，圆满的人生都是有着无限性的人生，而无限性的开端就是看到所有的"远方"都和自己有关。对"小我"来说，这是难以理解的——过好自己的小日子，不可以很幸福地过一生吗？

答案是，其实不可以。动物标记自己的领地，设立界限，这是动物的本能。在自己的领地里过好，设限筑墙的生活方式，是动物的生活方式。如果大家都靠这样的原则为人处世，那世界就只能遵循丛林法则。我们不是动物，所以这种生活方式不会带来真正的幸福。对自由和无限的追求是人不同于动物的地方。所以，要想拥有真正意义上的幸福，就不能"越活越小"。当我们在远方的世界里看到自己，感受到痛，能给予爱时，生命才真正有意义。所有的远方都和我相关，是生命的本意。

所以说，所有的经历，从助人始，以助己终。

试想如果当年我没有去和王甘老师参加学习，就不会从社会公平的角度看教育，不会有一土学校，不会认识到中国农村和流动儿童教育的问题。我也就不会成为一个对社会问题思考更深刻的妈妈和教育者。因此，最受益的是我自己。

2014 年，当菠萝在人人网上做癌症科普时，"奴隶社会"已经有十几万读者，我推荐转载他的文章，很快阅读量超过 10 万。后来这些文章集结成了他的第一本书《癌症·真相：医生也在读》，获了很多奖。我因此学到了用故事传递理念的能力，学到了与癌症相关的知识，能帮助身边有需要的家人、朋友。由此看来，最受益的还是自己。

所以，我们和世界本来就是一体，助人，就是助己。

觉察练习 · **参与**

我们虽然每天都在过平凡的小日子，但其实生活里从来不缺少大新闻。

哪类社会问题是你一直非常关注的？最近牵动你心绪的公共问题是什么？

想想在这个领域，有什么事情是你可以从微观层面参与和影响的。

扫描本书封底二维码关注"奴隶社会"公众号，在消息栏发送"**参与**"，即可收到我的更多分享。

2016 年的 4—5 月是我很痛苦的一段时期，因为要做的事非常多，来自各方的期待和压力特别大。我向我的职业教练 Patrick（帕特里克）倒苦水。他听完问我：一诺，你做了这么多事，也都做得不错，你是不是认为自己是个非常特别的人？

我们受了这么多年关于谦虚的教育，一开始当然不会承认自认为很特别。

然而真相是我内心的确认为自己是一个特别的人——特别聪明，特别敏感，特别有思想，特别有勇气，特别能干！

Patrick 说，也许这就是问题所在，也许大家追随你，喜欢你做的事，有更深层的原因，也许和你"特别"与否无关。

我没听懂。和我无关是什么意思？这些事都是我干出来的，当然和我有关啊！

你说的更深层次的原因是什么？

于是他给我讲了迈克·辛格的故事，推荐了辛格写的《臣服实验》这本书。这本书对我产生了非常深远影响，让我开始看到一些以前完全看不到的东西，包括"更深层的原因"。我由此开始了内心成长、"臣服"的旅程。

在这段旅程中，我重温在人生的不同阶段曾经面对的难题：生活和工作里的烦恼，很难做出的选择，我和时间的关系，等等。我发现，**其实这些难题虽然有不同的表象，但底层是相通的，即我们如何认识世界和这个世界里的自己。**

第四部分

面对生活，从不敢臣服
到体验"无我"

第 14 章
初遇 "臣服"

不知道为什么，你最预想不到的地方会有
让你深深感动的经历。

《臣服实验》英文原书的副书名是 My Journey into Life's Perfection，即我的探寻生命完美之旅。

看一本讲自我成长的书而哭对我来说是第一次。在阅读过程中，我的内心产生了巨大的共鸣，情绪的起伏让我经常忍不住流下泪水。

"纵身一跃"

辛格于1947年出生，生活在美国。他是一个极其成功的创业者和生意人，但这本书并非着墨于他事业成功的励志故事，而是讲这一切是怎么来的，和他内心多年的历程。

这一切始于他20多岁读研究生的时候对"我"的觉醒，以及对自己内心恐惧的探寻。他从不自知到自知，从自知到对抗，从对抗到控制，从控制到放手，从放手到臣服，历经痛苦、纠结、探寻、发现和最终的绽放。他将这个过程叫作"臣服实验"。

简而言之，就是通过放弃"我"的偏见和喜恶，"臣服"于生活本身。

我第一次看哭的段落，是他在1971年（24岁）的一段经历。他当时和几个大学同学准备在林中地建一间用于冥想的小木屋。在那之前，他已像流浪汉一样在车里住了大半年，而且他们都没有盖房子的经验，唯一比较"专业"的是一个刚毕业的建筑学硕士。他们本来只想盖一间简陋的小木屋，但那位建筑学硕士画出来的图纸让他们吓了一跳：楔形的两层楼，大落地窗，完全是一个建筑作品。不过，经过短暂的犹豫以后，他们还是准备按照这份图纸建房子。

> 我们纵身一跃，全身投入，像年少轻狂的嬉皮士和疯子
> 一样地不要理智。

这一句话一下子击中了我的泪点，让我想到我们做一土学校，也是从一开始有个疯狂的想法，到"纵身一跃，全身投入"。我们远远超过了 24 岁，但都像"年少轻狂的嬉皮士和疯子一样地不要理智"。

而后来的一切，包括大家看到的"一土"与我的样子，也是在当年"纵身一跃"后，随着我们对生活际遇的一次次"臣服"徐徐展开的。

到底何为臣服？

"臣服"这个词，乍一听很"消极"、很"被动"，似乎是放弃了。

但真正的臣服是非常积极的一个选择。它让我们透过"小我"制造的表象看到生活的本质，让我们臣服于那个更广阔的生活的真相。

比如有一条流动的小溪，**我们将手放在溪水里，如果手不动，我们就会时时感受到水的阻力；如果我们的手顺着溪流方向动，反而感受不到任何阻力。**

所以，臣服其实是跟随生活的推力而动。它不一定是"不

做""辞职"，更可能是"做"，努力追求一个之前因为内心的障碍而不敢追求的目标。

创办一土学校就是在生活的推动下成行的：三个孩子要上学；教育界的同行者的鼓励。后来的经历可以说比我在麦肯锡和基金会的工作都"艰苦、坎坷"得多，但因为做教育，我得到了一份特殊的福报。

我们一般认为一件事之所以成功，是因为做事的人有眼光、有魄力、有能力、有资源、有领导力。这些也许都对，但都不是根本原因。

根本原因是这件事是一件对的事，如果不是我做，也会有别人来做。

我们如果有机会做这件事，是因为我们恰巧在某个时间点碰到了这个机会，成为做这件事的"工具"。我们不应觉得自己是"救世主"，很重要，所以这件事才能做成，而要把自己这个"工具"不断变得更好，把这件事做成。

所以，臣服的本质就是"无我"，或者更准确地说，是"无小我"。

创办一土学校能引起这么大的共鸣、这么广的传播，并不是因为李一诺多么有眼光，而是因为这样的教育理想已在很多人的心里。我只是让它有了具体形态，让很多人看到了而已。一旦被看到，很多事就自然地发生了，很多资源和帮助就来了——"生活"本身就在引导我们了。

回到 2016 年，我在看完《臣服实验》后写了一篇文章，当天的阅读量就突破了 10 万，很多读者都说产生了巨大的共鸣。后来这篇文章被南京大学出版社的编辑看到，发现市面上没出版过简体中文版，于是联系美国的出版社引进版权，把这本书翻译成中文，在 2019 年年初出版。我写的那篇文章成了这本书中文版的推荐序。

我从来没想过自己可以和一本书的引进和翻译有关，但它就这样发生了。当你臣服于生活时，就会惊讶于生活带给你的惊喜。

所以，臣服不是"躺平"，不是消极，而是最深层次的积极，是允许生活做我们的指引者，活出人生本来应有的丰盈和精彩。而这种精彩要比我们"规划"的人生绚烂得多。

————————

我与癌症科普和医疗公益联结的经历，也是一段臣服体验。

因为"奴隶社会"，Autumn 介绍我在 2015 年认识了刘正琛，他是白血病的幸存者、北京新阳光慈善基金会（以下简称"新阳光基金会"）的发起者。他写了关于自己真实经历的文章，讲他从白血病患者到癌症公益人，再到关注儿童白血病。我还记得是我给他的文章定的题目：《我这十三年》。

菠萝发布的文章受到广泛关注后，开始在工作之余做"向日葵儿童"[①]的科普网站。于是，我想到应该介绍正琛和菠萝认识，因为正琛这些年做一线公益的经验和菠萝的科研背景以及对美国儿童癌症体系的了解非常互补。正值陈行甲从县委书记岗位离职，全职做公益，成立深圳市恒晖儿童公益基金会，做和大病救助相关的公益和政策倡导工作。我就介绍他们三个人互相认识。他们

---

① "向日葵儿童"由李治中发起，是拾玉基金会下属的专注于儿童癌症群体的公益项目。——编者注

虽然背景各异，但都是有理想、有专攻、有行动力的人，认识之后肯定可以碰出火花。

没想到他们互相了解后，何止碰出了火花，还很快决定一起做事情。正琛请行甲做新阳光基金会的理事长，菠萝请行甲做拾玉基金会的监事。

2017 年 2 月，他们三个人以公益"合伙人"的身份带领这三家基金会一起，加上中兴通讯公益基金会，共同发起了"联爱工程"，致力于实现"在现代中国消除因病致贫"的愿景。"联爱工程"以儿童白血病为试点病种，在试点地区开展重大疾病综合控制的公益实践，探索既有筹资保障提高医疗费用报销水平，又有服务保障提升医疗服务能力的重大疾病综合控制方法和健康扶贫长效机制。几年下来，有了很多了不起的成果。

想想真是很神奇，我们因一篇文章结缘，跟随生活的际遇，追随自己内心的愿景，这样的相遇竟然汇集成了真正能改变社会的力量，惠及千万个家庭。

觉察练习 · **臣服**

生活处处体现着臣服。

请选择你身边近期发生的一件生活小事，尝试放下自己对于"好坏"的评判，顺应生活本身而动。

比如平时家人或朋友鼓励你做但你不乐意做的一件小事，试着做一次如何？

比如有件事没有按照你的预期发展，你平时会很想"纠正"它，这次就选择接纳如何？

尝试放下自己的执念，做一次"跟随"的选择，记录下自己的心态转变过程。

扫描本书封底二维码关注"奴隶社会"公众号，在消息栏发送"**臣服**"，即可收到我的更多分享。

第 15 章
那无穷无尽的"烦"

生活中的"英雄"做的真正了不起的事，不是"驰骋沙场"，
而是平和地，甚至喜悦地面对每天琐碎的"烦心事"。

前文说要臣服于生活，那生活里最多的是什么？

似乎是无穷无尽的烦心事。

有一段时间，我特别害怕早上起床，因为会发现微信和邮箱里满是要处理的问题、要安抚的情绪。问题永远解决不完；棘手的问题似乎没有解决办法；很多怨恨的情绪无法抚平；很多付出不能被人看到，就算被看到还会被恶意曲解……

那么多"未读"的红点亮着，像一只只恶毒的眼睛瞪着我，更别说还有孩子们和自己在衣食住行方面的问题了。

我不禁对自己发问：折腾这么多事，产生了那么多问题，图什么呢？这就是生活的真相吗？如果是，那这一辈子是不是太没意思了？

这样的场景和发问，很多朋友应该并不陌生。有时候，我们会觉得压力大到随时可能被"最后一根稻草"压垮。这时候谈什么觉知和平静？都是鸡汤和胡扯。

"能不能来点儿实用的？！"

"烦恼即菩提"

如何面对这些烦心事？

看上去似乎没有什么办法，因为不会有魔法一秒治好孩子的病，让银行账户瞬间多很多钱，让眼下的矛盾立刻消散。

但是，并非真的没有办法。

第一步：停下来，深呼吸

你可能会说，孩子上学要迟到了，哪儿有工夫做深呼吸？那就先带孩子出门。等你在地铁车厢里站稳了，或者在车里坐稳了，记得做深呼吸。这里的困难不是时间，而是转念，因为三次深呼吸花不了多少时间。再慢，20秒也足够了吧？你不是没有这20秒，而是没办法让自己高速运转的脑子慢下来。

读到这里，你不妨给自己20秒，做三次深长的呼吸，再接着往下读。

深呼吸过后，是不是感觉不大一样了？

让高速旋转的脑子暂停其实很不容易，需要练习。我们接受的教育和做的工作让我们形成的习惯，就是一直在运转——在做、在想、在走、在跑。我们没有机会学习"止"、放慢和抽离。

这之所以困难，核心在于我们对时间的理解。我们的大部分烦恼都和时间有关——觉得时间不够，过得太快。第17章会更具体地讲到，这是因为我们认为时间最重要的价值是产出。有产出，时间才不算浪费，才是胜利。所以我们的人生信条是不断地做事、不断地跑，似乎在同样的时间里做快一点儿、做多一点儿，我们的时间就更有价值了。我们对待孩子也一样，给孩子报学习班，把他的课余时间填满，不管孩子的体验怎么样，我反正有产出了，这就是胜利了。

但真是这样吗？所有的产出都有意义吗？

比如，我回顾在这些年做的无数PPT，有多少内容真的是客户的需求，又有多少是领导让团队加班做的无用功？就算那真的是客户提出的需求，他真的需要这个问题的答案吗？或者客户只是不敢面对真实的问题，顾左右而言他，提了个假需求让你去满足？这些产出真的有价值吗？是不是还不如不做 PPT，而是和客户来一次深入的谈话，让双方更清楚地看到真正需要解决的问题是什么？

这样的例子在我们每个人的身边数不胜数。我们的产出和不断的行动，往往是在逃避那些不敢面对的恐惧罢了。

我这样讲，并不是说不需要产出，而是我们要明白什么是有意义的产出。

那么，时间如果不是为了产出，是为了什么呢？

时间本身是一个物理概念，但对人来讲，更是一个主观的概念。举个例子，我们每个人的记忆里都有几个"瞬间"，它们在物理概念上和别的"瞬间"没有区别，但它们对你来说，是特别闪光且恒久的记忆。这就是时间的主观性和深层价值，它为我们带来了不同的体验。

当你真正理解这一点时，就可以尽可能地去关注自己的体验。关注当下的呼吸就是一个入口。做三次深长的呼吸是将时间化为体验的一个简单方法。

在你有情绪波动的时候，一边做深呼吸，一边将注意力收回到自身，尝试去感受自己的情绪，它是什么？在身体的什么部位？然后想象我们心里有一只宝瓶，宝瓶里面有一股气，就是你此刻的那种情绪，这时候不要把宝瓶关上、压抑气体，而是把宝瓶打开，让这股气能够顺着宝瓶的出口慢慢地逸出、消散。

这样做的好处是不会让我们习惯性地压抑情绪。每次坏情绪出现时，记得做深呼吸，感受它在身体的位置，让它轻飘起来，再飘走。

呼吸的力量其实很神奇，你会发现，如果能经常做到转念、呼吸，一些问题看起来似乎就没那么棘手了，或者至少没那么着急解决了，你甚至会有新的视角和解决思路。

而做到这些，有时候只需要那 20 秒。

第二步：放下那些"应该"

我们会认为很多烦恼都是别人带来的，是某个人做了某件事让我们生气，因为他们不"应该"如此。我们的很多痛苦缘于现实和我们认为的"应该"发生了冲突。

其实，这个世界上只有一个人对我们的情绪负责，那就是我们自己。**没有你的允许，就没有人能激怒你；没有你的允许，就没有人能伤害你。**

这种"应该"包含了我们内心的执念，甚至连我们自己都没意识到。"这个人""这件事"无非刺激了我们内在的某种信念，而让我们条件反射，比如生气。

一旦你注意到这一点，就会发现这样的例子在生活里比比皆是。

2020 年年底，我和孩子们商量举办一场家庭版圣诞"音乐会"。老大安迪当时 10 岁，每周都上网课学吹笙。我对安迪有很高的期望，但他是个害羞的孩子，一看音乐会要成型了，而且似乎每个人都要表演节目，马上说：我不表演！我有些不悦，开始劝他，可是不管怎么说，他都不答应。我闷闷不乐，一直到晚上孩子们睡去，我内心还是闷闷不乐的。

于是，我开始进行自我对话。

我为什么不高兴？

因为觉得安迪应该参加这个活动。

他为什么应该参加？

因为我花钱让他上了这么多课，难道不应该展示一下学习成果吗？

如果他不参加，我的感受是什么？

我觉得投入白费了，而投入应该有回报。

我的投入白费了吗？安迪不喜欢这些音乐课吗？

不是，他挺喜欢的，也一直坚持得很好，老师留的练习作业，安迪从来不需要我提醒就能完成，我还经常夸他，做到这些很不容易。

我想举办这场音乐会的目的是什么？

让孩子们喜欢音乐，好好玩，说到底，是让孩子们高兴。

我这样逼迫安迪，他高兴吗？

不高兴。

所以，这第一步已经清楚了：我投入金钱之后"应该有回报"的想法遮蔽了希望孩子欣赏音乐、能够有快乐体验的初衷。

但这时候，我心里还有个声音说，不能就这么放弃，孩子"应该"从小锻炼表演能力，这对他以后各个方面的发展都有好处啊！

那我就接着问自己：

为什么孩子不愿意参与，我就会生气？

因为我觉得他会错过一个成长的机会。

这次不参与，就会错过成长吗？

至少会错过一部分吧。

是这样的吗？是真正的错过吗？成长的机会只有这一个吗？

成长的机会在生活里随处可见。但即使是这样，我们也应该尽力抓住每一次机会，怎么能轻易放弃？

如果错过这一次机会，会怎么样呢？

会成长得慢。

成长得慢有问题吗？

有问题啊，会落后于别的孩子啊。

所以我真正害怕的是什么呢？

害怕孩子比别人成长得慢。

比别人成长慢会怎么样呢？

以后就不够成功。（这时候，我发现问题回到养育孩子的"核心恐惧"了，就是怕孩子"不成功""不如别人"。）

成长慢，真的就不会成功吗？

成功是什么呢？我们把时间看成线性的，到了看似"应该要产出"而没有产出的时候，就会感到恐惧。如果我们将时间理解为人生体验，那么，所谓的快慢其实都没关系。如果将成功理解为实现人生的价值，认知自我，那和快慢就更没关系了。

自问自答到这里，答案就清晰了。

其实人只有两种底层的情绪：爱和恐惧。我们的很多负面情绪，如愤怒、烦躁、焦虑，都是恐惧的化身。爱和恐惧不能在同一时间共存，我们的内心被恐惧占据的时候，就体会不到爱，看不到当下，看不到事情本来的样子。我们关于"应该"的想法就是这些恐惧的外展。

这件事本来的样子，就是安迪是一个努力的、爱音乐的、能付出且能坚持的孩子，但是我因为自己的恐惧，觉得安迪如果不参加这次活动，那些美好的特质就都没有了——他是一个害羞的人，因此会是一个"失败"的人。但这完全不是事实啊！

第二天早上，我跟安迪说："妈妈想了想你昨天说的话，你如果不想表演，那就不表演了，没问题。"

他趴在床上长舒一口气，说谢谢妈妈，然后问："你是怎么改变主意的？"我说："妈妈听到你的话了啊。"

过了一会儿，安迪说："妈妈，我想当这次音乐会的幕后指挥，行吗？"我倒是没想到有这么个角色，就说："好，其实很多音乐剧都有制片人这个角色，那是大老板。"那时安迪对当老板特别着迷，于是他很兴奋地说："太好了！"

他又说："那我可不可以在钢琴后面吹笙？"我说好啊。这个惊喜让我由衷地高兴，没想到孩子自己提出要吹笙，只不过用了他舒服的形式（在钢琴后面表演，观众看不见）。

所以当我们面对内心的恐惧时，抛开"应该"，然后我们就会发现"烦"随之消散了，而且结果比我们规划的还要美好得多。

后来我们一起设计了音乐会卖票的机制，我和孩子们一起排练。音乐会的准备过程变成了一次美好的体验。

所以，当我们想促成一些事情时，起点不是去改变别人，而是放下自己内心由于恐惧而对别人设置的那些"应该"。

第三步：做情绪的主人

我们感到烦，似乎是因为有让我们烦的事和让我们烦的人，其实说到底，产生情绪的是我们自己的内在反应机制，不是那些"让我们烦的事"。面对同样一件"烦"的事，不同的人可能会产生不同的情绪，这就充分说明了引起情绪的不是"事"，也不是"人"，而是我们的内心对其产生反应的模式。

我们大部分时间都好像是个机器人，外壳有一堆按钮，当我们认为事情让我们生气时，就相当于把按这些按钮的决定权给了别人。退一步想，这是不是很可笑？

所以，要"不烦"其实也容易，就是不做机器人，不把按那些情绪按钮的决定权给别人，当然最好是没有这些按钮。

最终对我们情绪负责的只有我们自己。我们习惯说某个人让我很生气、某件事让我很生气，其实没有道理。实际发生的往往是，某个人说了一句话、做了一件事，我们内心产生了一个对它的解读，进而激起了内心某个没有被治愈的地方，于是"我"产生了情绪来攻击自己。

人生最终的成功无外乎心安，即内心平安喜乐。也许你会说，我也想心安，但是生活不如意啊，要是我身边的人能做到……我就心安了。

其实不是这样的，你的心安不需要基于别人的改变。

首先，你改变不了别人。

其次，即使别人改变了让你讨厌的这一点，你还会发现他们有其他需要改变的地方，这会是个无穷尽的过程。

心安从哪里来？其实无非在我们的转念之间。我们要意识到，我们才是自己情绪的主人。我会有什么情绪，我对一件事怎样反应，是我说了算的，和别人无关。

只有当我们意识到这一点时，才有可能获得真正的自由。

所以说，这些"烦恼"其实是让我们觉知和觉悟的入口，是通往心灵自由的必经之路，即佛经讲的"烦恼即菩提"。

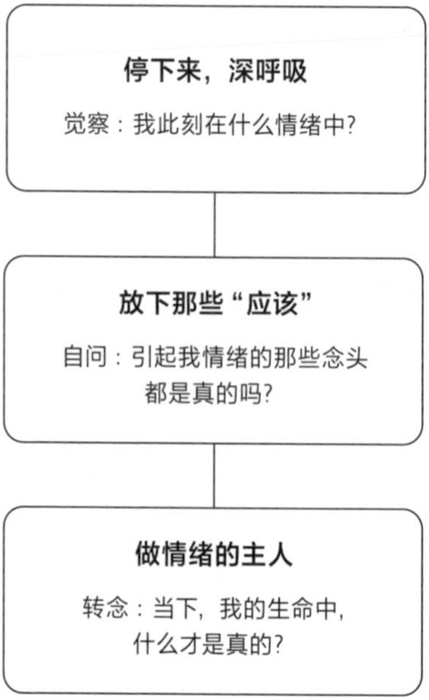

停下来，深呼吸

觉察：我此刻在什么情绪中？

放下那些"应该"

自问：引起我情绪的那些念头
都是真的吗？

做情绪的主人

转念：当下，我的生命中，
什么才是真的？

图 15.1　应对烦心事的三个步骤

消除烦恼不靠"减法"，而靠心智成熟

那如何"解决"我们的烦恼呢？

我们想当然地认为，获得快乐的路径之一就是"先大后小"，
一个个地解决当下的烦恼。

其实不是这样的。

如果我当下有几个大烦恼（我要换工作，我还没结婚，没有房
子）、一些小烦恼（房间里有一只苍蝇，厕所漏水了），你会觉得，

只要我的大烦恼解决了，那么小烦恼根本不是事儿。但结果呢？就算你的大烦恼全都解决了，房间里的一只苍蝇还是会让你烦恼，而且会占满你的整个头脑，而不是只占一点点地方。所以仅靠"解决"，烦恼就会是无穷尽的。

减少烦恼的另一条思路，是做"加法"满足自己的欲望。

是不是我们更多的欲望被满足，我们的烦恼就更少呢？也不是。

我们对孩子教育的焦虑是一个典型的例子。我们认为需要什么，孩子就要学什么，所以让孩子不停地学。但是我们让孩子学得越多，就越能获得内心满足吗？并不能。实际情况是，你让孩子花时间学这个，就发现没时间学那个；就算能学的都学了，你看到朋友带孩子出去旅游，又会发现自己的孩子因为学习错过了"走万里路"。这就像在海滩捡贝壳，不管捡了多少，你总会发现还有更美的。所以，用做加法的方式去满足欲望，也不会有"满足"的那一天。

也就是说，用做减法的方式来消除烦恼，或者用做加法的方式来满足欲望，其实都到不了"彼岸"，得不到"幸福"。在这个过程中，我们会耗费大量的时间、精力和资源，最后换来的往往是痛苦和焦虑。

真正的改变是依靠心智的改变。知道这些欲望也好、烦恼也罢，无非都是我们脑子里勾画出来的图景。我们既然可以勾画这样的图景，也就可以勾画另类的图景，还可以放下勾画，能做到这些便是心智成熟的体现。

心智成熟，才能从根本上减少烦恼。答案从来就不在"外面"。

当下有一切的答案

我们的烦心事，说到底，是因为想得太多。

当一件事发生时，让我们焦虑的往往不是这件事本身，而是我们在看到这件事之后，头脑中不断"想象""演绎"出的未来可能会出现的无数状况。

人的大脑往往生活在两个时间段，一个是过去，我们从小到大无数的记忆形成一卷厚厚的电影胶带，在我们脑子里面不停地放"电影"；一个是未来，我们的大脑不停地在演绎未来会出现的各种可能性。

我们记忆里这一卷厚厚的胶带在不停地播放我们的恐惧，而我们对未来的投射往往是记忆的重现。只有我们进入当下这个真实的时刻，才能从记忆和投射的循环里脱离。

但这很难做到，因为大部分人的常态是"小我"和"我执"像吸铁石一样紧紧吸住自身，处于一种被挟持的状态，不是在过去打转，就是为未来担忧。**进入当下，就是把"我执"的吸铁石拉开，看到那些"过去"和"未来"的画面无非都是我们大脑里留下的记忆和演绎的场景，并不是此刻真实存在的。**

这时候你会发现，那些烦恼不复存在了。

经常有人说，人生的真相就是背着苦难负重前行。我不喜欢这种说法，因为这其实是"我执""小我"对人生的看法，因为"我执"自身需要"苦难"的假象才能生存。所以这些不是人生真相，是我们被吸铁石吸住的时候看到的假象而已。

人生的真相是爱和慈悲。

我们感受不到爱往往不是因为周围人没有给我们爱，而是自己的感知能力出了问题。因此，感知爱和表达爱的能力，是最值得我们花精力去争取的东西。

———————

回到本章开头让我非常头大的早晨。

我做了几次深呼吸，开始和自己对话，意识到那些"应该"的问题。我提醒自己，只有我能对自己的情绪负责，从真实发生的事情中进入当下。

于是，我会发现事情没有那么糟糕。有些烦是触动了记忆而发起的自我攻击，其实给你发消息的人没有这个意思；有些烦是自己投射到未来的焦虑，而未来怎么发展会有很多可能性——而且更重要的是，我的状态越好，可能性就越多。

所以最终，如果我们从快速运转的大脑中抽离，就会看到，当下有我们需要的答案。

烦心事似乎每天都有。

但如果换个角度看，其实可以什么都没有。

选一件最近发生的烦心事，尝试做一次自我对话。

深呼吸，静下来，体会自己此刻的情绪。

让你烦的事情，哪些是过去的"电影"在重演，哪些是记忆对未来的投射？

如果可以放下过去，现在是不是可以做不同的选择？

扫描本书封底二维码关注"奴隶社会"公众号，在消息栏发送"**情绪**"，即可收到我的更多分享。

第 16 章
人生的路，如何选择

我们常常以为，人生做对了几个高光时刻的"重大选择"，
就能一马平川。但其实真实生活没那么多"高光时刻"，
即使有，也是由一个个小选择铺就而成的。

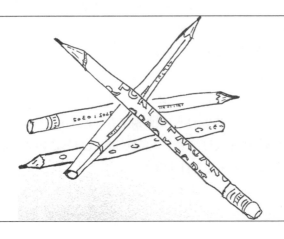

我们最常问的人生问题，就是"如何选择"。

方法可以有很多，但最重要的，其实是选择背后的三个底层思维：

如何看待自己，如何看待他人，如何看待机会和欲望。

如何看待自己？

我上高中的时候，很多学霸都走竞赛之路，参加数理化等学科的比赛，得奖。我也参加过，但成绩不算好，这时候一般人就很容易产生自我怀疑，开始否定自己。但当时我想，竞赛不适合我，那就看看适合我的路径吧。因为我全科成绩好，就继续努力，结果高三毕业的时候全年级总分第一，保送清华大学。

后来我到美国读博，毕业后进麦肯锡，实际上是非常心虚的。因为麦肯锡这种高大上的公司在招聘上会做各种宣传和广告，写的申请人都是非常牛的。我读博士的学校很不错，但不是顶级名校，我在麦肯锡的宣传材料里没见过一个校友。麦肯锡在洛杉矶的宣讲会都在加州理工学院做，不会来我们学校。

虽然我获得了面试机会，但是参加面试的时候非常自卑，环顾周围的人，觉得跟这些人比起来，自己被录用的机会是很小的。

但我知道苦闷没有用，因此换了看待这件事的视角。

第一：既然我已经来了，那就证明我跟其他候选人现在在同一个起点上，就不要妄自菲薄了。

第二：落选也不可怕，多了一次面试的锻炼机会，没有任何损失。

想到这两点之后，我就没有太大的压力了，感受到的不是"志在必得"的紧张，反而能放开，可以自如地发挥。最后，我的确拿到了麦肯锡的 offer。

我分享这两个例子是想说，在面对一些机会的时候，我们好像要面对很多外部因素，但我们真正能把握，也能起关键作用的，是我们对自我的认知，它无时无刻不在指导我们做选择。

我们的自我评价往往是负面的——觉得自己不行，没有经验，没有资历，没有资源，似乎周围人在哪方面都比自己强。**给大家一个建议，就是经常看自己有什么，而不是没有什么。**

我们的教育让大家倾向于过于苛求自己，习惯性地用自己没有的或者短板和别人的长处比。而大多数成功的人其实是靠发扬自己的长处而成功的。从爱因斯坦到凡·高，都有世俗意义上明显的短板，但都很成功。因为说到底，真正的成功不是外在表象，而是活出自己的样子，也就是把自己的长处发挥到最大限度。

你可能很快就会产生下一个问题：如果这样做，怎么能进步呢？

方法是：**把自己的长处和更优秀的人比。**

我在麦肯锡的时候，最大的进步来自与在不同领域的同事的合作——有些同事在数据方面特别高效，有些同事在行业分析里特别有洞见，跟这些人合作能让我有更多学习机会，也精进了自己的能力。

有了对自己这样的认识，自信而不自负，就能做一些有挑战的事情。

一土学校的诞生就是这样一个例子。2016 年，我在教育领域还是个彻底的外行，不是教育行业专家，也没有教育资源，按照世俗的眼光看，我成功的可能性是个大大的零，如果融资，恐怕不会有任何一家创投基金投我。但我知道我有什么——多年的职场经历和因此形成的教育视角，以及清晰的思考和高效的执行力，所以靠自己有的东西开启了这段旅程。上路之后，我不断向行业里的前辈和同人学习，精进对教育的理解，一路前行。

如何看待他人？

看待他人有很多角度，可敌可友，可亲可疏，我的经验是：**把每一个人都看成老师和伙伴。**

其实我们能接触的任何人都有独特的知识和经验，我们如果会提问题，其实相当于以极低的成本，了解了他人多年总结的有价值的经验。在学校学习是这样，在工作里更是这样，因为工作是没有现成答案的。这里的一个重要方法是会问问题。这能帮助我们理解对面的人的真实需求和经验，特别是没有说出来的部分。

如何问问题呢？好问题的核心是有开放性，而非封闭性（用"是""否"可以回答的问题），比如你为什么这么想？你认为最大的阻力是什么？等等。这一类问题可以引导出我们意想不到的一些答案。

讲到这里，可能有人会说，一诺，你享受了顶尖的国内教育资源，也享受了国外最先进的教育资源，还在那么高大上的机构里工作，周围全是牛人，可是我周围没有这些牛人啊。

实际上，如果用开放的心态看待周围的人，我们就总能在周围人的身上看到自己可以学习的地方。去除标签，每一个普通人，比如小区物业的工作人员、家里雇的阿姨，哪怕是路人甲，都有故事。以开放的心态去看每个人，你就会发现可以从任何人那里有所学习和收获。

在北京这几年对我支持最大的人之一就是我们家姜阿姨。姜阿姨生在东北农民家庭，种过田、养过猪，开过长途车、做过工厂管理，当然也做了很多年家政，有丰富的人生阅历和处事经验。我们在北京住的小区的物业工作人员，个个都喜欢她、服气她。我在遇到一些困境的时候会和她聊，她总有特殊的视角看问题，还会帮我分析一通，她的建议对我很有价值。所以，生活经历没有高下之分，只要你开放心态，所有人都可以是你的老师。

有一个理论叫"自我实现预言"：如果我们用开放的心态引导别人分享，用更有效的方式问问题→引导别人分享→别人乐于分享→自己受益，我们会因为有好的结果而用更开放的心态对待别人，由此进入一个正循环；如果你抱持认为周围人没用的负面心态，选择不跟他人打交道，那别人就不会跟你分享，你也不会去问问题，结果就是自己得不到新鲜的思想，由此进入负面循环。

大家不妨想想，我们日常生活中有哪些选择可以用这个理论解释。

答案是，几乎所有选择都可以这样解释。

我们能改变别人吗？

在真实的生活里，并非所有人都是天然的良师益友。我们会经常遇到自己看不惯的人和事。这时候的问题就是：如何改变？

大到行业环境，小到家人的态度，我们常身处的困境就是该如何"改变"周围的人。

我在麦肯锡培训的时候接触过一个影响他人的九种方法的模型，方法包括诉诸权威、诉诸逻辑、做榜样、诉诸情感等。但这些方法并不总是有用的。

没有用的时候怎么办？

我一开始觉得自己认为这个方法没用肯定是我没有找到更好的方法，所以我更努力地去寻找方法。

但我慢慢地知道，其实这些方法都是"术"，而背后的"道"是，**当你放弃改变别人这个念头的时候，才有可能发生改变。**

为什么？因为人是不可能被别人改变的，只有自己想改变时才会真的改变。

有一次我到一个朋友家做客，她家非常整洁干净。我当时就想，这样真好，我的家也要这样，于是回家开始收拾。这个朋友什么也没说，就是做了她自己，我看到了，心向往之，于是自己也改变。试想，如果她对我说：一诺，你家怎么这么脏、这么乱，你看看我家多干净，你赶紧改改吧！我恐怕会非常抗拒，我家什么样关你什么事？！

所以真正能改变你的人往往是没有想改变你的人，是他们做了自己的样子，你看到了，将其化为内心的需求，改变才会发生。反过来看，我们对别人也是一样的。当我们做好自己，没有"改变别人"的动机的时候，别人反而更容易改变，而且这种改变是内生的、持久的。

我第三个孩子一迪出生的时候，妈妈来美国照顾我。有三个小孩的生活真是无比忙乱。虽然我和妈妈感情一直很好，但那时我们在生活上有很多矛盾，都是琐事。那时候每次妈妈说一些话时，我就很抗拒，每天都想着和妈妈说，"你能不能改改"，但又说不出口，所以自己很难受。

我记得一天早上，妈妈在厨房擦地，我看着她，突然觉得能理解她说这些都是因为爱我，只是她的表达方式我不能接受，而我不能接受的态度让她很无奈，于是我们就处于僵持的状态了。我那一瞬间看到了这种爱和无奈，突然有一种接纳和释然。僵持是需要双方都用力的，当你这边不用力时，这种僵持就无法存在了。我和妈妈其实什么都没说，但那之后，因为我改变了，妈妈也真的有了改变。人和人的关系和联结其实是非常神奇和微妙的。

虽然这是一件小事，但这便是接受和放下的神奇力量。这退一步的力量比我们咄咄逼人地向前冲有效得多。

如何看待机会和欲望？

我们经常会有一种错觉，认为人的一生做好升学、就业、结婚几个大的选择，把握住大机会，似乎就可以幸福一辈子。

但其实就算这些大的选择和际遇相同，每个人的人生道路仍然千差万别。同一所学校毕业的人，人生路有千百种不同；同样是结婚或者离婚，有的痛苦不堪，有的活出精彩人生。

所以，人生不是线性的，也不是靠几个决定就能定格的，不是"只要……就能……"人生之路到底能走成什么样子，如果能用一个公式表示，就是"小决定 × N"。

为什么？首先，所有的决定都是微观的，是在具体的环境里面对具体的问题时做出的。把选择宏观化是我们这个时代的错觉。我们听到、看到的故事经常过分渲染那些做出重大选择的"关键时刻"。而真实情况是，就算有一些关键时刻，能让一个人有机会面对大选择，也是因为这种机会潜藏在他之前做的无数不起眼的小选择里，正是它们在锻炼、塑造着一个人的选择能力。

我让孩子们在很小的时候，就自己选择早晨穿什么衣服。他们到五六岁的时候，基本上可以自主做很多决定。虽然这看起来没什么了不起的，但是我觉得自己作为妈妈挺成功的，因为孩子可以把自己的事情安排好，这是做什么都需要的底层能力。

其次，虽然一个决定看上去"小"，但每一个小决定的不同带来的累加的结果，会被生活本身放大。比如，你可能认为"不重要"的事做得差不离就行，但实际情况是，一件小事你做得一般，下一次对方就找别人做了。如果你能做到最好，下一次有新的机会时，别人自然会先想到找你做，你就有了别人没有的机会。久而久之，你就走上了指数曲线的上升之路，而那个"差不离"的人会在一条小坡度的斜线路，甚至是水平线的路上。

这个例子还蕴含着一个重要的道理，就是选择有两部分，一是选择做什么，二是选择怎么做。同一件事情，做到 100 分和 70 分，会有很不同的结果。

比如今天要发一封重要的邮件，想做到 100 分的人会选择思考怎么写、什么时候发，要提前做什么准备，预期得到什么样的回应，之后如何做跟进……这些选择看上去都很小，但正是这一封封邮件、一条条信息、一件件小事的"品质"在构建或者破坏信任，直至我们看到的"大"结果。

所以，我们要做的是**在每一个小选择里改变思维方式，锻炼能力，获得对应的成长。**

讲到这里，你可能会这样理解：我做每件事都比别人更努力一点儿，就会走上指数曲线的上升之路。这听起来合理，但是如果很多人都这么想，社会的"内卷"不就形成了吗？

如何破解呢？我们要理解，其实努力不只是"更拼""更投入"，而是提高我们的整体认知，选择做当下最适合自己、最值得做的事。内卷是因为大家都在朝着一个看似"热门"但并不一定适合自己的目标在努力，这时候很多努力反而可能是无用功，甚至起反作用。

如何找到"真正适合自己的事"？这取决于我们的世界观、人生观和自我认知。我们在后面章节会聊到。

关于机会：你永远不会准备好

我拿到麦肯锡工作 offer 的时候是 2004 年 12 月，当时知道入职时间是 2005 年 7 月。我觉得有好多时间可以为工作做准备，于是向一个早一年进入麦肯锡的前辈咨询：我有七个月的时间，能不能给我一点儿建议，能做什么准备，这样我可以在开始工作的时候准备好。

当时他给了我一个建议，到现在我一直受益。他说：一诺，你放心吧，你永远不会觉得你准备好了。就像开车一样，你读再多的书，做再多的练习，直到你坐到驾驶座开起来，你才会开车。你之前做很多准备，性价比很低。所以，他建议我这七个月什么也不用想，该玩玩该吃吃，工作的时候再说。于是，我有了七个月的幸福生活。

这次是我有七个月的"等待"时间，得到的建议是"不要为了'准备'做什么事花太多时间"。但生活和工作里更常见的情况是相反的：我们没有足够的时间做准备。项目、客户、机会，这些都是"说来就来"的，你需要马上决定"要不要去做'没做过也没把握'的事"。

这时候，我们往往会打退堂鼓，觉得自己没准备好。

这里的真相，同样是：你永远不会"准备好"。

因为首先，我们恰恰是通过做事来"准备"的，而不是通过"准备"来做事的。所以如果心仪的机会来了，就不要用自己"没准备好"作为理由推脱参与。

其次，其实别人也没"准备好"。不止你一个人有这种心理。大家看到我好像做了很多事，其实我开始做的事更多，有不少是"有始无终"的。但回头来看，其实都没关系，不是吗？所以有机会就接住，不要被"等完美准备好"的想象绑住了手脚。

记得我刚读博士的时候，听说过这是一个极其痛苦的过程，很多事情不受你的掌控。后来有一个特别睿智的高年级的博士生告诉我：你知道吗，一般从项目开始到最后能发论文，这个比例是8:1，所以你开始 8 个项目，最后可能只有 1 个能做成。

那我就明白了，你要想发 4 篇论文，就得开始 32 个项目。很简单，是吧？所以，有的时候把这个心理预期调整好了，就没关系了。

所以，面对机会，没准备好不是问题，要勇敢把握，多"做"几次就好了。

最后，长远看，多做就会有更多"手感"，积累经验，提高判断力，以后的"胜算"就会提高。一旦有了这样的心理准备，你所谓的失败就不是失败了，只是过程中的一步而已。

关于"需求"的自我对话

前文讲到把握机会，那看到很多机会之后，产生的欲望太多怎么办呢？

我们每个人都想追求更好的生活，有欲望才有目标和动力，从这个意义上讲，有欲望并没有错。问题在于，**很多时候"想要"不一定是真的"需要"**，看上去"热闹"的生活未必是好的。区分"有效欲望"与"无效欲望"才能让我们的精力分配有的放矢。如果什么都不愿放弃，什么都想抓住，我们就容易被欲望驱使，像一只盲目忙碌的蜜蜂。

如何区分有效欲望和无效欲望？

通过深度的自我对话，不断追问自己"为什么要做这件事，它有多重要、多紧急"，层层深挖，理清不同目标的优先级。如果能经受自己的盘问，就把它当作现阶段的一个重要目标；如果经受不住，就从行动清单上把它删除。

举个例子。我想要给孩子报某个兴趣班，感到特别焦虑和着急。于是我开始自问自答：

为什么要报？
因为这个兴趣班很火，很多人都报了。
为什么很多人报了我就得报？
因为这个班好啊。
报的人多就说明这个班好吗？

不一定。

那为什么报？

因为不想落下。

落下怎么了？

落下就落后了啊。

你觉得孩子没报这个班，就会落后吗？

是啊，他的基础差。

孩子真的差吗？

其实问到最后，就回到了我们的不自信、对孩子的不自信和一定程度上的不接纳。

更有可能的真相是，你的孩子基础没问题，在家里和你一起学习对他的帮助比上这个兴趣班大得多，但是这个"大家都去"的声音借助我们内心的某种自卑掩盖了上述真相。

所以，选择说到底是一个内在的过程。做同样的选择，去同一个地方，每个人的心路会有千差万别。所以人生体验的制造者不是外部环境，也不是某个选择的结果，而是我们自己如何看待这份体验。我们如果把每一次选择都作为了解自己的入口，慢慢地，就能看到更多真相，很多选择做起来就会容易许多。

选择的方法论

上文讲了关于选择的三个底层思维，这里再分享一些做几类具体选择时的方法。

第 1 类，不重要的选择

指导原则：怎么选择都可以。

生活里有很多不那么重要的选择，比如今天穿什么衣服，工作餐吃什么、在哪儿吃。对于这一类事，指导原则是怎么选择都可以，无须在此耗费精力，欣然接受和体验任一选择。

这一类事是我们生活里的大多数。我们有很多当下会纠结的事其实没那么重要。比如我们以为制作某个文件一定要用某种格式，但是咨询老同事后也许会发现格式并不重要。再比如你以为客户需要一份建议书，但对方可能只是想和你聊聊，听听你的想法。

我们纠结的原因，除了不了解情况，还有内心戏在作怪。我们不敢去提问和澄清，因为害怕被评判"傻""没经验""这都不知道"。而实际上，很多时候别人不会评判，或者根本不在乎，只是你自己在乎。况且，就算他们评判，也没什么大不了的。这时候，你如果多问一句，把情况了解清楚，明确这件事真正的重要程度，省下的就是自己的时间和精力。

所以我会在下一章讲，最浪费时间的事之一是我们陷在内心戏里无法自拔。

第 2 类，没法选择的事

指导原则：全然接纳。

每个人在生活中有很多无奈，成长环境、身体条件、职场状况、社会大环境等，有很多是我们暂时无法改变的。

面对无法改变的事，我们能做的其实只有一点，就是全然接纳，不要纠结。在接纳这个事实的基础上向前走，该干吗干吗。

这里有一个很重要的概念区分：接纳不意味着认同。

比如接纳我的领导是这样的人，不是说我认为他是正确的，而是承认事实就是这样的，不要试图否定他或者改变他。你的不接纳只会让自己带着怨气和怒气，让自己发挥失常、状态不在线，这样既不能解决问题，又会让自己变成问题的一部分。当你接纳这个事实后，就知道自己在当下该怎样做才是最好的。当你能做到这一步时，就会发现周围的人和事会因为你的状态发生改变。

除了这两类，有选择余地且重要的事情，我们又可以分成两类。

第 3 类，比较确定的事情

指导原则：学习和复制。

其实我们生活和工作里的大部分事，很多人已经做过了，不需要标新立异，比如要参加一场标准化考试，做一个比较标准的规划项目。

就像装修自己的房子。基础装修层面有很成熟的做法，不管我们怎么选择，变数都不大。等基础装修做完，下一步确定风格时可以创新和发挥。所以基础装修层面就是学习和复制，不需要惊天动地、与众不同。在这些事情上选择安全和保守的方案，没必要冒险。

第 4 类，不确定性大的事

指导原则：选择与众不同。

对于那些不确定性大的事情，我们应该选择与众不同，选择

"冒险"。

　　相比前一类事情，这一类事情实际占的时间少、发生的比例小，但它可能会带来深远的影响。回想我自己做的这几次选择，就属于后一类。

　　做"奴隶社会"公众号就是一件比较冒险的事情，因为我们都没做过公众号，但是觉得做这件事情有意思，正好也有时间。七年多来，我们因为这个公众号认识了很多原来不可能认识的朋友，也做了很多原来不可能做的事情。

　　我当年离开麦肯锡，加入盖茨基金会，也是用了这个原则，虽然这个转变很不寻常，但是我能有机会做一些不同的事情。我在盖茨基金会这几年的经历，同样特别有收获。

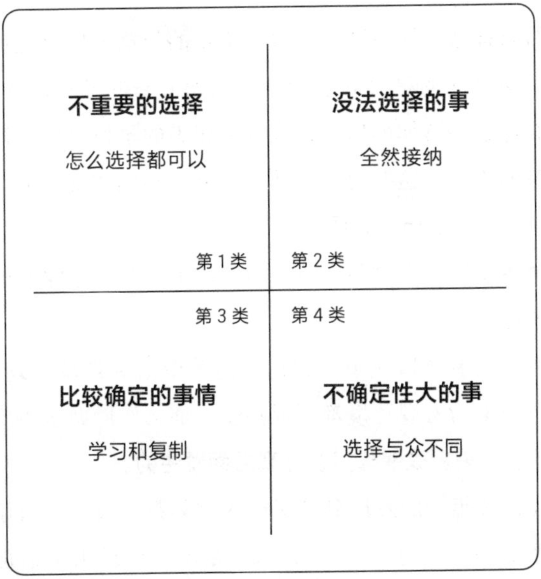

不重要的选择	没法选择的事
怎么选择都可以	全然接纳
第 1 类	第 2 类
第 3 类	第 4 类
比较确定的事情	不确定性大的事
学习和复制	选择与众不同

图 16.1　做选择的方法

建一土学校也一样。

我并不是说这样选择就会成功，其实大部分时间是不成功的。但是没做成也没什么大不了的。而一旦做成了，就是改变人生的价值体验。在体验的过程中，你就收获了做不同选择本身带来的价值。

最后一个重要原则

多考虑微观因素，少考虑宏观结果。

有一次我们在诺言社群直播，有朋友问我，有两个留学机会，去新加坡或者去美国读博士，考虑到现在的国际环境和机会，应该去哪个国家。

我的回答是：你在这个阶段做决定的依据不应该是这么宏观的，你应该关注的是微观层面的，比如未来的导师是什么风格，要做什么课题，读博的时长，以及你想去的学校对博士研究生有没有足够的支持。这些对你读博是否会成功的重要性大得多，而国际大趋势和你没什么关系。

那个朋友说：不对啊，两个国家博士研究生毕业后的就业机会不均等啊。

我说：大多数情况下，**我们不能改变宏观环境，只能接受**，如果两个国家的宏观环境都可以接受，那么你能做多少事就和你的微观环境有关。**改变都是在微观层面发生的。**

我经常被年轻朋友问到的另一个问题是，投了两份申请，一个录取率是30%，另一个只有5%，是不是应该去申请那个30%录取率的。

这也是典型的依据宏观统计概率做决定，弄反了因和果。如果你的目标是成为你能做到的最好程度，那不管在哪里，你都可能是 1%，那些百分比是前人的果，不是你未来发展的因。你要找的是支持你的环境和文化，是能让你变得更好的环境。宏观的统计结果是回溯性的结果，对你当下做决定没有参考意义。

关于微观，我一直有一个**"五六个人原则"，就是不管你在什么环境——学校、职场、家庭，你周围的五六个人构成的微环境对我们的影响远远大于宏观环境。**所以我们要重视、挑选和管理的，是这"五六个人"。

我去读博士的时候，有很多实验室可选，当时我感觉眼花缭乱，觉得每一个实验室都有它的好处，很难决定。后来我换了一个角度想，不管去哪个实验室，读博是一个 4~6 年的过程，那在这些年里，什么因素对我来讲最重要？

我当时想，最重要的就是我得喜欢老板和这个实验室所有人塑造的气氛，因为他们是跟我朝夕相处的人，如果我每天在实验室心情都不舒畅，那我就不可能有出色的研究成果。这听起来是个蛮感性的决定，但我真的是用这个原则筛选了一遍实验室。当时所有的教授都来做宣讲，施文远教授在谈到自己做科研时候的那种特别兴奋的孩子般的笑非常打动我，我觉得有一个爱笑的导师的实验室肯定不会差。果不其然，我那 4 年博士研究生读得很顺利，也从施教授和同学们身上学到了非常多，之后很多年都在受益。

我在麦肯锡也用类似的原则选择项目，我看重的是这个项目经理或者合伙人是不是我愿意与之一起工作的那一类人，这大大降低了我的选择成本。

做选择需要有方法，但最终要听从自己内心的感受。这些指导原则对我有过非常正面的作用，希望它们也能对你有用。

尽力之后，学会"接受"

最后，如果你认真选择了，也努力了，但是没结果怎么办？

这其实是常态。

我们把眼光放长远，就会意识到努力没有结果只是当下没有结果，每一次投入和努力其实都会有回声，只不过不一定此时此刻就能听到回声。有些事情就算有"结果"，其实也是暂时的，和当下的机缘有关。

所以面对这些，我们的出路便是臣服，接受现实，然后把自己该做的做好，问心无愧。运气来了就感恩，没来就等下一次。

臣服并不是虚无主义，而是我们做好了充分的准备，顺势而为。我们能比较深入地了解自己，能听到自己内心的声音；我们有开放和成长的心态，听得进别人的建议；我们能看到真实的问题，面对真实的困境而不逃避。

这时候你就会发现，很多貌似把握不了的机会，其实就藏在我们能把握的每一次选择里。运气何时到来的确不可知，但只要你内心清明，就会发现世界会以你意想不到的方式来帮助你。

觉察练习 · **选择**

人生选择听起来好像很大，其实很小，它就藏在我们日常的小选择里。

请你观察自己今天做了哪些决定和选择。

哪些让你心情舒畅？哪些让你觉得内心有障碍？

问问自己障碍在哪里，为什么？

扫描本书封底二维码关注"奴隶社会"公众号，在消息栏发送"**选择**"，即可收到我的更多分享。

第 17 章
时间的本意

如果放下过去，我们会有什么样的未来？

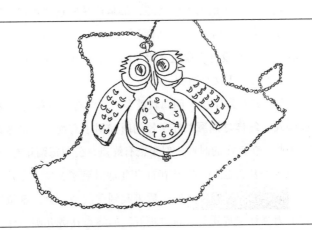

除了烦心事和选择，我们常要面对的问题是：如何充分利用时间？因为时间是我们人生最宝贵的资源。也有很多人问我：一诺，你是如何做时间管理的，能做这么多事，还生养三个孩子？

我对时间的理解是逐渐变化的。

认知时间的三个阶段

做事，分秒必争地"奋力奔跑"

这个阶段可以说从学生时期一直延续到 2013 年。

在这个阶段里，我对时间的概念是产出。在同样的时间内，产出越多越好，胡思乱想和发呆都是浪费时间。

这种每天和时间"竞争""赛跑"的状态，将时间定在了我们的对立面。很多所谓的时间管理，都是让我们在"赛跑"里跑得快一点儿，多"挤出来"一些时间。

我在这个阶段可以说是"跑"的高手，有各种增加产出、提高效率的方法，下文会写到。

但是越这样跑下去，问题就越多。如果真是"赛跑"，**那么终点在哪儿，怎样才叫赢？** 在学校的时候似乎有终点，是考试、答辩、毕业。在工作的时候，似乎也有终点，公司每两年有一道坎，要么升职，要么走人。我于 2011 年年底升到了合伙人之位，那么下一步的"终点"在哪儿呢？后来我到盖茨基金会，希望能通过公益的力量让世界更好，那"更好"的终点在哪儿呢？什么时候可以说是完成了呢？

为人，接受生命成长的自有节奏

这个阶段从我于 2013 年参加的麦肯锡在波士顿的一次领导力工作坊开始。这个为期一周的工作坊开始给我带来内在的苏醒和改变，让我思考"奋力奔跑的终点在哪里"。我发现，在"做事"的层面得不到答案，而且奋力奔跑看似"拥有了"很多，其实都只是身外之物，疲惫常多于快乐。

这个阶段的开启还有一个原因，就是孩子的出生。参加那次工作坊的时候，我怀老三大概三个月。成为妈妈是一个内在自我被唤醒的过程。新生命的诞生、孩子成长的每时每刻都会给我带来冲击，让我一方面对生命自身的规律充满敬畏，另一方面开始反思自己曾经紧紧抓住的一些信条是否真的有用。

我有一个朋友家的孩子到 13 个月龄还没有长牙，朋友非常焦虑，带孩子去看儿科医生。医生说：你出门到大街上看看，有哪个成年人是没有牙的吗？回家吧，牙会长出来的！这是多么有智慧的大白话。

所以从生命的角度来看，时间有它自己的节奏。我们能做的是彼此陪伴，对生命的时间产生敬畏心。

该做的事要做，但是结果只有在该来的时候才会来，不会早到，也不会迟到。我们那些急切的心情都是内心戏，是和时间赛跑产生的故事，和时间本身没有关系。

在这个阶段里，我有了新生命的到来和对时间产生的敬畏，但仍然觉得时间是外在的，是"规律"。时间很冷静，和我的感受无关，我能做的是尊重、跟随。

合一，感受到时间与意识的一体性

这一阶段大概从 2017 年我做诺言课程（属于诺言社区的一部分）开始。我开始反思自己的人生历程，开始意识到时间和意识的交互。

那时候，我慢慢意识到，我们痛苦的根源是无知，是和我们的"真我"分离而非合一的状态。

时间的本质不是为了我们的产出，也不是一个脱离我们而存在的规律，时间其实没有分离性。想象一下，你如果能去有人类之前的世界，你问现在是什么时间，那会是很可笑的问题。如果那时候的动物和植物能回答你，那只有一个答案：现在的时间是现在啊！同理，你问现在的动物和植物，它们也会给你一样的答案：时间是现在。是人类社会工具化的一面，才构建了时间功用的概念。

时间没有分离性，所以生命的经历不是你物理上经历了什么，而是你记住了什么。让我们记住的是每一个当下的感受，可能只有几分钟甚至几秒，但只要你进入那个当下，它就会在我们的记忆里定格。那个时刻就与我们合一了。

新生命就是合一的状态，没有过去，没有将来。我们是在成长和教化的过程中慢慢"学会"分离，产生二分对立的。当我们开始觉悟时，会慢慢意识到这些分离是大脑生成的"电影"或者"幻象"。其实真实存在的只有当下。没有过去——过去只是我们的记忆；没有未来——未来只是我们基于记忆做出的投射和想象。

听起来似乎是很抽象的概念，我们在后文会更具体地聊。

如何和时间做朋友？

每一个阶段都有和时间做朋友的方法。

做事：
如何有足够的时间做我们想做的事

我们常说时间管理，其实大多是在"做事"层面对待时间的态度和方法。我在这方面似乎是比较成功的，有很多标签，所以经常被问哪儿来这么多时间，怎么能做这么多事。

我和大家分享一些思维方式与方法。

咱们不讲"该怎么做"，而是讲讲关于做事和时间的两大误区。避开误区，我们都可以做到心想事成。

→**误区一**："我已经很忙了，所以没时间做更多事情。"

这句话有很多种呈现形式：

我现在没有孩子，工作就已经非常忙了，所以我不能要孩子。

我有一个孩子，已经忙得不得了了，所以我没时间再养第二个孩子。

因为我现在工作非常忙，所以我没有时间去做我喜欢的事情……

那真相是什么呢？

"Your activities will expand to fill the time you have."（你的活动永远会膨胀，直到占满你所有的时间。）这是我在麦肯锡第二年的时候听到的一句话，对我影响巨大。

当我们看清了这个真相时，有三个法宝可以应对"误区一"。

→ 法宝一：从目标开始，而不是从限制开始

抛开所有借口，**先不要管自己有没有时间，只问自己是不是真的想做这件事**。因为限制无处不在，从限制开始想，你就会很快发现无路可走。所以，方法就是从目标开始。如果你真的想做这件事，那好，设定目标。

→ 法宝二：开始投入

既然你的活动总归会膨胀到把时间填满，那么**与其说管理时间，不如先留出时间开始投入精力和资源在你希望做的事情上**。

比如你希望有时间看一本书，与其等到闲下来找时间看，不如每天给自己留哪怕 10 分钟用来看书。

→ 法宝三：借他人之手

每个人都有惰性，所以要加个砝码——**借他人之手，帮自己实现目标**。可以把自己的目标告诉别人，可以在一个小群体

里共同做事。群体的力量实际上是非常重要的一个推手，所以选择和什么人在一起很重要。我这些年做线上的诺言社区，也是这个初衷。如果没有这样的社区也没关系，我们的家人、朋友，哪怕是小孩子，都可以成为帮手。

如果你觉察到在被"我已经很忙了，所以没时间做很多事情"的伪命题限制，不如试试上面三个法宝。它们也许能帮你达成某个一直没有实现的目标或者愿望。

> **→误区二："等我闲下来就去做。"**
> 又是一句听起来很耳熟的话吧？这也是一个伪命题。就像上文讲的，你的活动永远都会膨胀着把你的时间填满，所以，真相是你永远不会有"闲下来"的时候。
> 针对"误区二"，也有应对方法。

→第一步：意识到你的"默认假设"

我们会在头脑中用很多框框把事物分类，我称之为"默认假设"。

我们的行动无时无刻不在被这些思维定式主导着，比如我们优先处理工作的事，优先处理承诺他人的事，优先处理短期紧急的事。这些做法看上去很合理，但是如果一直这样做，你就会发现那些非工作的事情、自己的事情、长期有益的事情……被一直拖延了，它们就到了上面这些事的对立面，我们就回到了上文提及的二分状态。这种分离的状态会给我们带来痛苦。

当我们真正想要做成一件事又迟迟没去做的时候，很有可能就是这种思维定式导致了它的优先级永远排在后面。

所以当你发现有这种情况时，这就是个好的窗口，能让你理解以前没有意识到的很多默认假设。

我一直想要做的事是
① _____
② _____
③ _____

做这件事对我的益处
① _____
② _____
③ _____

我没有行动的原因
① _____
② _____
③ _____

原因背后的默认假设是
① _____
② _____
③ _____

→第二步：重新定义什么重要，以自己为出发点

大家都知道时间管理四象限分类法：重要且紧急的事，重要但不紧急的事，不重要但紧急的事，不重要且不紧急的事。但在我心里，事情只分为两类，就是重要的事和不重要的事，不论是否紧急。判断的标准是从自己内心出发的，不是从他人视角出发的，也不是外在约定的。

怎么确定自己内心最重要的事？

我的方法是经常问自己如下两类问题。

> **→自问一：如果生命还有六个月……**
>
> 如果生命还有六个月，你还会做正在做的事情吗？
>
> 如果这个时限是一年呢？如果是五年呢？
>
> 如果不会做正在做的事，那你会做什么？你为什么现在没有做那些事？
>
> 你说的这些原因真的是阻碍吗？

我们有很多内心的假设。一个假设就是认为我的生命还有很长时间，有很长的未来可以让我们做想要做的事情。但真相是，如果我们不从现在开始做相关的选择，就不会有一个期待中的"未来"从天而降。因为生命的本质就是无常，我们无法假设未来。我们也不需要等到某些意外的事情发生，才对曾经的拥有心怀感恩。

我在诺言社区让所有人回答这个问题，很多人说，如果生命只剩六个月，他们会多陪陪孩子、父母，会带全家去旅行；有人说，会换工作；有人说，要表白，或者结束现在的关系。

那么下一个问题就是：为什么现在没做呢？大部分人的答案是没时间、没钱、没资源。但真是这样吗？你需要做的事情真的需要那么多的时间、那么多的钱吗？如果换一份工作需要很多时间准备，那你是不是可以从打一次咨询电话开始？如果结束一段关系需要太多勇气，那你是不是可以从展开一段诚实的对话开始？

你如果诚实地追问自己，就会发现你认为的那些天大的障碍其实没有那么可怕，经常是我们自己编织的恐惧把自己吓退了而已。

→ 自问二：我的墓志铭写什么？

闭上眼睛，想象自己离世之后躺在自己的葬礼现场，会有什么人来参加葬礼？他们在回顾我的一生时会说些什么？

这是我在麦肯锡初期接受的一个培训，当时老师让我们这么做。我现在还对这个练习印象深刻，也经常用这个练习来提醒自己。

这个问题的意义在于让我们跳出眼前的繁杂，从生命的终点回看当下，很多事情会清晰得多。

我们平时纠结、在乎的这些东西——什么时候升职，哪一年做到什么职位，赚了多少钱——恐怕不会被人谈到，大家谈到的是你给这个世界留下了什么印证，给他人的人生留下了什么印记。

所以提前想想看，在自己的葬礼上会听到的对话和自己的墓志铭，可以让我们从惯性的慌乱里沉到深处，帮我们聚焦于真正需要着眼的问题，也可以让我们在看似困难的选择面前做出正确的抉择。

在姥姥去世的前几年，我工作忙、孩子小，在鸡飞狗跳的日子里坚持经常从北京到济南看姥姥，就是受益于这种思维方式。

探望长辈这种事情，大家可能有同感，在忙碌的生活中会很自然地被挤到后面。如果不是过大寿、春节或者病危，平日似乎很难找到时间专程回乡去看望老人。人们总是下意识地觉得自己的工作更重要、客户更重要……

但我知道姥姥对我的重要性，也很怕留下遗憾，所以我做的第一件事就是觉察"惯性思维"，把看望姥姥这件事定义为一件大事——对我来讲重要的事。

接下来的行动部分，就回到我们在"误区一"中谈到的，做投入来促使行动达成，比如我早早买好了周末的车票，留好时间，把其他事情安排开……回济南看了姥姥。

虽然姥姥在 2017 年去世了，但是我有很多在济南陪伴姥姥的美好记忆，可以说没有留下遗憾。

几个时间管理的小技巧

最后，我和大家分享几个关于时间管理的小技巧。

> **→每日规划**

我们总觉得时间不够，其实很多人没有意识到的是，哪怕你一周工作 50 个小时，每天睡 8 个小时，一周仍然有 62 个小时是可以自由支配的，这比工作时间还要长。规划好，往往大有裨益。

24×7＝168

168－50（工作时间）－56（每天 8 小时睡眠）＝62

所以早上起来，先给自己五分钟设定一下当天的正面心态，然后花五分钟把当天需要做的事情大概分成如下三类：

a. 最重要的事。将其优先级排到最高以保证完成，并且规划出整段不受干扰的时段帮助自己专注。

b. 可以改天做的事。这些事情一般不紧急，所以把它们的优先级放低，等到重要的事完成后再做。

c. 能在缝隙里解决的事。一般是不需要太多思考的小事情，可以作为以上两种的调剂，在大段时间中的缝隙里完成。

→ 两分钟原则

我们在一天中经常有一些必须要做的小活，比如传递信息、给予回应。这些事往往不超过两分钟，因此经常被无限期推迟，并且大量积累，最终造成负担。我的原则是，两分钟能做完的事要马上行动，及时清除。

这也许听起来好笑，但在忙碌的一天里，我把这段时间叫作"被迫的独处时间"，给自己一个机会在安静的环境里独处一会儿，放空一下。这两分钟往往会有意想不到的效果。

为人：颠倒过来看人生

我们真正需要的人生视角，和通俗意义上的"学习过程"是颠倒的。

上文讲到做事的时间规划，其实最浪费时间的不是做事中途哪个环节浪费了几分钟，而是从一开始就走错了方向。

因此，时间管理的底层其实是如何做选择。每一个小选择串起来就是我们的人生。每个人的人生道路就是由大大小小的选择和它们的结果串联的。而这对于我们人生如此重要的一课，却没有人教我们。

2017 年，随着对教育理解的深入，我开始意识到在学校里学到的东西，等进入人生这个课堂后完全不够用。我们需要的人生指导和世俗意义上的"学习"是颠倒的。那是我做诺言社区的第一年，我们做的框架就叫"颠倒的世界"。

比如，社会上传播声音最大的是知识和技能，所以很多学校搞培训，很多人步入职场后会大量购买知识产品。

知识和技能当然很重要，但这其实只是最表层的东西。真正掌握了知识和技能的人——从学霸到职场达人——不仅是有知识的人，更是有方法的人。

→ **颠倒后的第一层，是方法论。**

它指导我们如何学习和获取技能。

有方法还不够。聪明人或者学霸很多，"伤仲永"也多。我从 2006 年开始做招聘相关工作，十几年间看到了很多年轻人的成长。我发现有的人之所以能做出不一样的成就，是因为他们有不同的思维方式。

→ **颠倒后的第二层，就是思维方式。**

思维方式的影响可以说无处不在，小到一句话讲还是不讲，一件小事管还是不管；大到是否换工作，其背后都是它在指导。

我想在这里分享一个思维方式，就是用"全"或"无"的眼光看选择。前文提过，人生的一个假象是我们似乎有很多"选择"，有很多"中间状态"。其实不然，我们的很多选择往往是"全部"或"没有"，并无中间状态。

大概在八九年前，我通过一段很不起眼的经历意识到了这一点。那是北京冬天的一个大风天，我和妈妈出门。妈妈抱着孩子（一岁多的老大），我提着东西。那时候还没有打车软件，我们在路边拦出租车。离我们不远处站着一对年轻人也在拦车。这时候来了一辆车，我妈以为两个年轻人看到旁边有老人、有孩子，会让我们先坐，没想到，那两个年轻人飞奔向前，一下子钻到车里，让车开走了。我妈自然很生气，说这俩年轻人怎么这样。后来我们打上车，一路都在说这件事。

这时候我想，站在我们的视角，其实那两个年轻人当时只有两个选择：如果选择让我们先上，那就是"大好人"，我妈妈会一路感激；而他们选择自己抢着上，就是"自私小人"。你看，这两个选择并不是"一个最好，一个还行"，而是两个极端。你如果留意，就会发现生活和工作里的很多事都是这样的。

回到"时间"这个角度，两个年轻人似乎"抢到"了时间，但是丢失了更重要的东西。如果我恰好是他们的客户或者领导，看到这一幕，会怎么想？

意识到这一点后，你就会更有觉知地对待生活和工作里的很多"小事"。你做的每一件事情，不管当下有没有他人看到，都要更有品质。其实我们看到的所谓"好结果"，都是有品质的小事情积累而来的。

然而，有方法和思维方式还不够。

→ **颠倒后的第三层，是价值观。**

价值观指导我们探求意义。我们可以把工作做得很出色，有效能、有成长，但"中年危机"该来还是会来，它往往和"人生意义"有关。我到盖茨基金会也有这方面的原因，是对更深层次人生价值的追求。

怎么探寻价值观呢？我用的一个方法就是上文提过的，对着镜子问问自己：如果我的生命只剩六个月，我还会不会做现在做的事情？

为什么是六个月？因为时间不能太短，我们每天可能都会做一些自己不愿意做的事情，所以不能以每天都有意义来要求自己。但是时间又不能太长，太长就会让人麻木，觉得日子长得很，不着急做决定。

如果对六个月的回答是"否"，那你应该开始考虑要不要换一件事做。如果由于各种情况换不了，那就在自己做的事情之外，加一些让自己感觉更有意义的事情。

有效能、会选择、有意义，其实还是不够，人的终极幸福是真正的快乐和内心平静。如果没有这些，那所有的成功都只是表面的。人生达到深层快乐的唯一路径，就是真正认知自我，对自我和世界的认识由分离到合一。

→ 颠倒后的第四层，即最底层，是自我认知。

恐惧、自卑、害怕不被认可、无法融入、失败，我们每个人每天都在和这些内心戏做斗争。要赢得这些斗争其实只有一个方法，那就是面对。

所以说，人生只有一条道路，那就是面对自我、接纳自我、实现自我。

我们的教育也好，社会也好，看上去很热闹，但常常都在考虑并重视着最表层的东西，而忽略了下面这四层，更忽略了真正的"成功"是从最底层开始的。

很多人说，我们做一土学校最打动他们的是初衷里"内心充盈"四个字。这不是因为我说得好，而是因为这是人之为人最底层的追求。

然而这些追求在我们这个社会里是"吃力不讨好"的，因为不像培训班能有立竿见影的效果。老师花五分钟抱抱哭了的孩子和花五分钟讲两道题相比，抱孩子是看不到"效果"的，家长也觉得"不值"，因为"没学到什么"，但这是真正的教育应有的姿势。因为这个姿势才是对待人的姿势，也是我们对待自己的姿势。

从"为人"的层面看时间，时间就不是用来多做事了，而是关于选择，关于意义，关于自我认知。

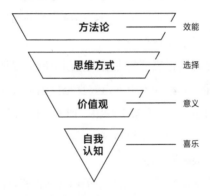

图 17.1 "颠倒的世界"框架

合一：此时此刻就是最好的时间

我们经常会问的问题是：什么是最好的时间？什么是最好的选择？我们经常跟自己说的话往往是"等到……的时候，我就……"

其实，没有所谓最好的时间、最好的选择。这是一个站在岔路口的局外人问的问题，似乎要面前的路来回答它们哪一条更好。但这时候的"路"并不存在，我们在人生中走过每个阶段留下的样子才是路。在走之前，唯一存在的是未知和可能性。**如果是我们自己做出选择并全情投入，它就可以是最好的选择。**选择的结果并不取决于"路"，而是取决于我们的投入和态度。

我们往往在和自己周旋的过程中，觉得生活应该如何，当生活没有达到我们的预期时，我们就会感到气恼和沮丧，而且这些情绪似乎是理所应当的。

我们要创造自己想要的生活，但创造的前提是不在抗拒和愤怒中消耗能量，否则谈不上创造。真正的创造者就像海里的冲浪高手，接纳海浪之后才可能会冲浪，而不是抱怨为什么浪这么大。一旦学会冲浪，你可能希望浪越大越好，因为你在接纳之后已经允许自己和海浪融为一体了。

如何合为一体？不妨经常用下面两句话提醒自己。

→**如果放下过去，我们会有什么样的未来？**

如果没有过去，当下的我是谁？这个没有过去的"我"

会不会放下很多羁绊，去做不一样的选择？如果这样选择，我们的未来会不会大为不同？

所以从这个角度讲，和过去的记忆分离是人生最大的挑战，我们往往活在记忆里，活在故事里，而不是活在当下的现实里。当我们和记忆分离，进入当下时，我们就开启了无限创造的可能。

我们如果放下过去，就可能慢慢活出生命的真谛。

→ **什么是最好的时间？此时此刻就是最好的时间。**

我们习惯于回答最好的时间是将来的某一点，但其实正确答案是：**此时此刻就是最好的时间。**如果问自己什么时候应该做这个选择，那么回答是：现在。如果问自己什么时候才能放下那些放不下的东西，那么回答是：试试现在？

我不是说什么事情都要在当下这一刻去做，而是用这个问题击碎我们的很多假设，让我们从头脑编织的故事里抽离，进入当下的真实存在。因为只有当下是真实存在的，过去和未来都不是，都是"故事"而已。

所以试着在心里默念三遍：

此时此刻就是最好的时间，
此时此刻就是最好的时间，
此时此刻就是最好的时间。

我知道这很难，因为脑子里马上会冒出很多问题：现在不行，我还要做……还要等……

　　没关系，从你可以开始的地方开始，感受当下，做当下可以做的事，哪怕是给孩子一个温和的眼神。告诉自己，此时此刻就是最好的时间。当你开始这样做时，就会慢慢理解这句话的深意。

觉察练习 · **时间**

如果生命只剩下六个月（假设在六个月之后，你会无痛苦地离世），你还会不会做现在做的事情？为什么？

如果这个期限是一年呢？

如果是五年呢？

如果你的答案是否定的，那你会做什么？

你为什么现在没有做你想要做的事？

这些原因真的是阻碍吗？

请写下这些可能的阻碍，好好地看看它们，想一想，真的没有可能突破吗？

再结合当下现状，写下你觉得现在可以从哪些事情开始做起，来接近自己理想的状态。

扫描本书封底二维码关注"奴隶社会"公众号，在消息栏发送"**时间**"，即可收到我的更多分享。

本书已经从不同的角度聊过"我"了。

我是谁？

是我的身体吗？是我的职业吗？是我的财富吗？是我的角色吗？是我的想法吗？是我的情绪吗？是我的性格吗？是我的过去？是我的未来吗？

2017 年有一段时间，我变得心灰意冷，做什么都打不起精神，特别是不愿意写文章。我琢磨了好一段时间，似乎找到了原因。

第一，那段时间，我在做慈善和教育的过程中接触了很多让我非常佩服的人，所以在潜意识里，我开始自卑，觉得别人都比我厉害，因此我写什么都没有意义，会让人觉得我言之无物。

第二，我有一点儿自负。那时候"奴隶社会"已做了几年，有了一些影响力，很多人来投稿，团队也很给力，好像我不写文章也没有什么严重后果。

既自卑又自负，我夹在中间根本无法动弹。

我和教练 Patrick 聊这件事，他一语道破，说其实自卑也好，自负也好，根本上是同一个问题，是自我迷失。你没有了根基，一会儿和这个比，一会儿又和那个比，对自己的定义根据外界的东西变化，两个定义又互相矛盾，所以你会迷失。我们产生的很多纠结、困扰都与此有关。

要想解决这个问题，就要回到自我发现。

我豁然开朗。

其实人生的终极命题，无外乎成为一个完整、自洽的"我"。

第五部分

面对自我，
从不敢面对到全然接纳

第 18 章
力量从哪里来

大部分的时间，都用在和自己的无力感奋斗。

我的"来时路"

每个人成为今天的样子，都有来路。我们能否真实地面对它决定了我们的当下和未来。

我出生于 1977 年 11 月 11 日。我妈说预产期是 11 月 9 日，她还盼望着我能早出生两天，那就是俄国"十月革命"的纪念日了。现在"双十一"是购物节，和 40 多年前流行的观念很不一样。

爸妈说，在北方的冬天给我洗尿布，水冰凉刺骨。到我自己有 3 个孩子、感到苦和累的时候，想想现在的各种便利，如纸尿布、热水、洗衣机，再想想当年父母过的日子，便觉得眼下这些困难都不值一提。

对于儿时济南的冬天，我的记忆一是阳台上堆成山的大白菜，那是整个冬天的蔬菜；二是同学们在学校里轮流值日，轮到的那一天需要带报纸和树枝去学校，放在生满了锈的铁皮炉子里烧火取暖。

我的初中离家远，自己带饭到学校食堂热，热一次要价 8 分。初中班里很乱，很多男生打架。少数几个学习好的男生在班里是没有存在感的。

我当时庆幸自己不是男生。

我的小学班主任刘老师和初中班主任于老师都是特别优秀的教育者，他们认真尽责，对学生充满关爱。初中有乱象，我抱怨过，于老师对我说，"该做什么就做什么，别拿别人的错误惩罚自己"，这句话让我受益终生。

1989 年，我父母离婚了，当时我不到 13 岁。现在回顾，1989 年是对我有"里程碑"意义的一年。从那时起，我慢慢开始有了现在的"我"的样子。妈妈离婚改户口本时可以改名字，于是 1993

年暑假，我躺在床上起名字。再开学上高中的时候，16岁的我用了自己起的名字：李一诺。

1996年，我上了清华大学。食堂的煮鸡蛋要0.5元一个，我觉得好贵，因为在食堂一顿吃二两（100克）米饭才花0.34元。校园家属区的照澜院卖鸡蛋，3.5元一斤（500克），小一点儿的鸡蛋可以买11个，比食堂便宜多了。于是我在宿舍用电热杯每天煮鸡蛋吃。

但用电热杯属于违纪行为。有一次我在生物楼上课的时候，突然意识到没拔电热杯的电源，心里一惊，赶紧骑车往校园对角的宿舍楼狂奔，脑子里一遍遍出现老旧的楼冒烟着火的景象。骑到宿舍楼时，我已经一身汗了，不知道是骑车热的还是被吓的。到宿舍发现没大事，谢天谢地。

骑车狂奔那一段经历至今仍是大学四年印象极深的片段之一。

所以，我哪里是什么"女神"，只是一个抠门的穷丫头。

2000年，我到了美国，虽然有奖学金，但日常开销能省则省。我花了400美元从同实验室毕业的师姐那里买了二手车，那是我买的第一辆车，是前排能坐三个人的大别克，开起来很拉风。

读博时只能拿单次签证，我因为害怕再次申请签证会被审查而不敢回国，三年没有见到父母，因此对美国的签证制度不满。2008年，我因工作到北京，觉得回到祖国好办事，拿着博士学位试图跑落北京户口，没想到障碍重重，最后不得不放弃。我曾感到愤怒，但慢慢明白了，**社会是复杂系统，"不合理"是常态，也学会了放下受害者心态。**

我在美国的一个意外收获就是在一次爬山活动里认识了华章。之后，我们一起滑雪、爬山，一聊天就是几个小时……2001年，他用几个月的收入买了一枚不大的戒指，我们两个"穷留学生"就结婚了。

2004年，我博士研究生毕业，在准备去麦肯锡面试时，发现要穿正装。一身女式的西装要200多美元，好贵。我们实验室有一个韩国女同学，和我身材差不多，于是我向她借了一身正装。

面试之后，我得到了这份工作，进了麦肯锡。一开始，我很自卑，也试图研究过名表、名包、名牌衣服。不过说实话，我实在搞不懂一个包凭什么要价几万元，特别是有时候几千元就可以救一个人的命，两相对比，就更是匪夷所思了。所以，我不买"名牌"。

这些年的职场生活，一直便是这样。

在麦肯锡工作6年升职为合伙人，中间4年生了三个孩子，老三出生之前的两周休假期间，我和华章做了"奴隶社会"这个公众号。

2015年，我接受了盖茨基金会的邀请担任中国办公室首席代表。之后，我们举家搬回国，开始为了孩子未来在北京上学而发愁，无知无畏地创办了一土学校。

创办一土学校和我之前的经历大不相同，是很草根的一件事，所以可以说，从创办一土学校起，我才开始真正地了解中国社会。一土学校这些年成了教育创新一个有感召力的实践，但实际情况是各种困难：钱、地方、政策，不一而足。作为民办学校，没有来自政府的拨款和场地，所有办学的费用都要自己掏腰包，一直捉襟见肘。作为义务教育阶段的教育创新探索，这条路的确走得异常艰难，也充满了各种无奈。

我不由得联想到一代大师林怀民，他创造了舞蹈艺术的奇迹。他自述40多年舞蹈岁月的书《高处眼亮》①，写到45年前创办云

---

①　林怀民.高处眼亮[M].桂林：广西师范大学出版社，2011.

门舞集的时候，他一位朋友的寄语：

> 希望你和你的朋友能够在这些芜乱的问题与坎坷的现实
> 之间，以清明的眼光、冷静的头脑，脚踏实地地维系共
> 同理想的不坠。

45年后，他将这个理想化为现实，不仅"不坠"，还耀眼飞扬。但是他自己在书里写，45年里的**"大部分的时间，都用在和自己的无力感奋斗"**。

他们建的第一个排练场叫"云门八里排练场"，听起来很有排场，但其实就是一个铁皮屋子，夏天热、冬天冷，他们愣是在里面练了35年。直到一场大火烧毁了排练场，世人才知道名满天下的云门舞集竟然是在这么一个地方排练的。

他的经历，我读得心有戚戚焉。虽然我们所在的领域不同，但做"一土"的过程让我真正理解了他写的"天天和无力感做斗争"是什么意思。

所以，有人问我："一诺，你这'开挂'的人生，有什么沮丧的时候吗？"我只能说，比比皆是啊！

我的暗时光

2016年初夏，我已经接手了盖茨基金会的工作，但家还没有搬回北京，因此每次到北京，都要处理基金会的很多工作。同时，因为开始准备筹办一土学校，需要资金，我得挤时间尽量约见可

能成为"金主"的人。

当时几经周折，我联系到一个很富有的企业家，他的太太约我去他们家的四合院吃晚饭。这位企业家已经说要拿出几千万元做教育方面的捐赠，所以我满怀希望，为了保证见面的质量，真是"每一次呼吸都要反复练习"。那时候，我刚从美国回来，时差还没倒过来，整个白天都在忙基金会的工作，到晚饭的时候，我已经有近20个小时没睡觉了。

我怕吃饱了犯困，所以不敢怎么吃饭，保持高度热情，满眼放光地给这位夫人介绍我自己，介绍学校的构想和改变教育生态的梦想，回答她的问题。结果她关注的"教育"和我完全不同。饭后，她礼貌地送我离开。我记得深夜走出朱门，回头看一眼灯火通明的价值上亿元的四合院。"演出"结束，以落寞告终，巨大的疲惫和无力感突然袭来，让我几乎无法招架。

说到灰暗时刻，这肯定算一个了。

不过，这不是最难的，最难的是给自己打气，让自己重新登场。

为了一土学校，我几乎见到有可能性的人就聊，不论对方级别高低。我有时候想，这至于吗？我好歹是曾经的麦肯锡合伙人啊，聊一小时可是上千美元。不过，我很快就"放下"了，因为过去的"我"是谁不重要，当下的事需要我做什么，我就去做什么。所以，我调整了心态，每一次聊，哪怕当时合作没希望，我说了一遍，就影响了一个人。哪怕对方对自己孩子的教育有了新的思考，我也算"赚"了。

第二个灰暗时刻，体现在我满脸憔悴，两眉间有一条红印的一张自拍照上。

那是 2016 年我正为学校发愁之际，一天早上起来突然发现眉心出了一道血印。我很少自拍，当时拍了这一张留作纪念。那只是开始，最近这几年掉头发掉得厉害，所以不得不持续烫发，不是为了美，而是掩盖头发日渐稀疏的样子。还有一次，电话里接到了一个坏消息，我突然开始胃疼。我上中学的时候得过胃病，20 多年没犯过了，竟然因为这个坏消息旧疾复发。身体不会骗你，"修飞机"不容易。

第三个场景，是 2021 年，在一土未来教育项目于昆山举办的启动仪式上，我以视频的形式参加。这是个好事情，但发言时的我其实刚结束一场手术。因为一次意外，我的左手被割断了一根筋，要做手术缝合，然后复健几个月。其间赶上天气恶劣，家里的屋顶也从漏水到塌下来一大块，可谓"屋漏偏逢连夜雨"。手术结束回家的路上，术后反应让我在车里吐了一路。而到家一小时后，就要进视频参加启动仪式。我用一只手给自己化妆，打上厚厚的粉底、腮红来遮盖不好的面色，然后坐在电脑前，打开台灯。在屏幕上一看竟是容光焕发，可以侃侃而谈的！然而，在视频连线结束之后，我就像泄气的气球，累得倒在床上睡着了。半夜醒来，才爬起来去卫生间用一只手卸了妆。

那一刻，我都觉得自己挺悲壮的。其实真实生活就是这样，即使一地鸡毛，也要打起精神，"粉墨"登场。

记得有一次，我和教练通话，倾诉这种种困难。他说：一诺，我不能帮你做具体的事情，但你闭上眼睛想想，如果这些问题都解决了，会是什么样的场景。我当时闭上眼睛，脑海中出现了美丽的校舍、面带微笑的老师们，以及在绿地上奔跑的孩子们……我的眼泪一下子就流下来了。

改变世界不易，环境经常是恶劣的，而这幅内心的愿望图景是我们唯一的力量源泉。哪一个改变不是从几个人的"我想"开始的呢？所以，在现实的重重困难里，倾听自己内心的声音是唯一的选择。

2019 年，《人物》的演讲平台请我做一场演讲。我用几个月准备了演讲稿，改了很多遍，但是到演讲的前一天，仍然不满意。于是，我让 Autumn 来我家，我们俩一字一句地改。

我想，值得讲的不是我做了什么或者为什么这么做，每个人做某些事、不做某些事，都有自己的理由，所以我的经历并不重要，而重要的是，我们的力量从哪里来。

有了这条主线，我清楚地知道，孩子在绿草地上奔跑的场景、孩子真实的样子、我们真实的生活，给了我从暗时光里走出来的力量，于是我们从这里开始重写。Autumn 和我一起改稿，她离开我家的时候，已经是凌晨 3 点。

我当时睡不着，一遍一遍地梳理内容，4 000 多字的稿子，因为是用心写的，我竟然可以一字不漏地背下来。第二天我演讲时，的确不需要看提词器，讲到奔跑的孩子们那里，那个画面浮现在眼前，我控制不住地又流下了眼泪。

我想，真正的力量是自己的真实生命被唤醒的力量。这段视频直到今天还在被不同的渠道反复转载，我想，这就是因为面对真实生命、真实生活的力量和所有人都有共鸣。

听见自己内心的声音，接触自己真实的生命，并不能马上带来成功。相反，生活的常态是"失败"，是走夜路。但人生的另一个真相是，你走着走着，就会走出最黑暗的那一段路。这时候再回头看，你就会想去拥抱一下黑暗中的自己，感谢一下她：谢谢你，再害怕，再孤独，也没有放弃！前路未必多平坦，但只要一直走，便不会是死路。

其实生活一直是这样的，**在我们做成的每一件事背后，是十件、百件没做成的事，但只要方向是对的，面对恐惧，坚持前行，人生中的这些灰暗时刻，终究会变成希望的光亮。**

力量从哪里来？从底层的爱而来。

你一定也有过"暗时光"，你是怎么度过的？让你走出来的力量是什么？

请开始觉察，感知自己的力量源泉，进而不断补充自己力量的"蓄水池"。

扫描本书封底二维码关注"奴隶社会"公众号，在消息栏发送"**力量**"，即可收到我的更多分享。

第 19 章
姥姥和妈妈：
上一代女性的力量

我想，看到可爱的小东西眼里会放光的人，

是一个灵魂离外在很近的人。

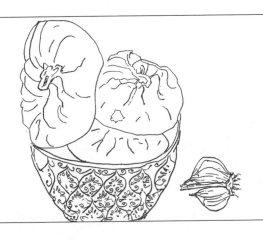

永远的姥姥

我们每个人力量最初的来源是家庭的养育。

我成长过程中对我影响最大的是姥姥和妈妈。按现在的说法，她们都曾经是职场妈妈，只是那时候没有这个词罢了。

姥姥的爱充满了我的童年。

直到今天，好多儿时的记忆还会时常涌现。春天，姥姥在院子里埋花种、插新苗；夏天，我在葡萄架下做作业，姥姥在一旁用蒲扇驱赶蚊虫；秋天，葡萄熟了，紫色的玫瑰香、绿色的巨峰，一串一串地挂着，我不舍得吃，总是抬头看；冬天，姥姥总会做一大锅酥锅，码得一层层的，有带鱼、海带、排骨、白菜，再炸一大盆麻叶，金黄金黄的，香气四溢。我对那院子里的记忆，是孵出来的小鸡、小鸭，养的金鱼，种的莲花、石榴树、无花果树和香椿树，以及放了新鲜茉莉花的茶。

回想和姥姥在一起的时候，我做什么都是被包容的、都是可以的，她对我从来没有要求，也从来没有期待。如果有要求，也就是希望我能多吃点儿，出门的时候能多带点儿。寒假作业做不完没事，因为那是老师布置得太多了；有事情忘了做没事，下次再做；东西搞乱了没事，不着急收拾。姥姥对我从来不着急、不生气，只要我能吃好，就一切都好。

大概是那一辈人经历过物资匮乏的时期，所以觉得能吃饱就是最大的幸福，其他收获都是额外的偏得。到孙辈身上，**这其实就是无条件的包容和无期许的爱。它恐怕是一个人在幼年能收到的最珍贵的礼物。**

每年春节，各种旅游宣传都无法打动我，因为我要回济南看姥姥。

每次回到济南，我基本不出门见朋友，就为了能多一点儿时间陪陪姥姥。我会推着姥姥的轮椅，带她出去走走，聊聊天、看看画，更多的就是做饭、吃饭、看电视。其实我心里有一种怕，怕陪她一次就少一次，好像是你知道一趟火车要到终点站，你根本挡不住它的前进，只能在到终点站之前多在车上待着。我在麦肯锡的前两年一直希望能回国做项目，一个自私的原因是希望和姥姥近一点儿。记得2008年回济南再离开的时候，姥姥已经是步履蹒跚了，她还带着准备好的一包零食送我到门口，往我的包里塞。虽然不是生离死别，但是看着那些零食，我再也抑制不住，眼泪哗哗地流下来，在去火车站的路上一直哭。

童年的夏天，我都是在姥姥家度过的。每天晚上她扇着大蒲扇，一边哄我睡觉，一边讲她小时候的事情：养蚕、爬山、砍柴、摊煎饼。姥姥讲故事有特别丰富的画面感，在她的故事里，天是蓝的，山是绿的，花是五彩的，水是潺潺流动的。每次我闭上眼睛听姥姥讲，就像是看电影一般，有全景、有细节、有色彩、有声效，还有极其真实生动的人物心理活动，我感到无比有趣和幸福。

儿时的我听姥姥讲故事；现在，我把她的故事讲给你们听。

老一辈女性的力量

姥姥生于1923年，出生地是山东省新泰县（现新泰市）将军堂村，这个小山村当年掩护过很多地下党。姥姥的爸爸是当地的开明士绅，也是破落地主（所以"文革"的时候姥姥家也受了影响）。

姥姥从8岁开始裹小脚，16岁参加革命。姥姥的妈妈生了14个孩子，只有3个活了下来，所以姥姥小时候亲眼看着自己好几个姐姐病得没了命。

因为裹小脚，姥姥的三个脚指头都被压断了，但后来被进步的哥哥偷偷放脚，所以脚也长到了能穿 37 码的鞋。姥姥的脚裹了又放，就是那个时代动荡的中国北方农村的一个缩影吧。

那时候女孩子是不能读书的，但是村里有面向成人开授的识字班。姥姥虽是家里最小的姑娘，但从小要强，晚上跑去上课，偷偷学会了写字。她一方面特别兴奋，一方面害怕父亲知道，因为老师是男的。有一天，她用自己学会的字写了一张纸条，放在口袋里，特别紧张地向父亲说："爷（那个年代，山东有的农村孩子管父亲叫'爷'），我想给你看个东西。"

然后，姥姥把那个已经被手心的汗浸湿的纸条递过去。她的父亲其实早就猜到了，问：你写的？她说：嗯。然后，他抽了一口烟斗，沉默半晌，就问了一句：老师是男的还是女的？姥姥想了想，撒谎说：女的。父亲再没说话，起身走了。姥姥知道这就是默许了，她一方面感到撒谎的紧张，另一方面是得到默许的欣喜若狂。

以识字班为起点，姥姥后来从鲁中公学毕业，这对那时候的农村姑娘来说是改变命运的开始。

姥姥常说，15 岁之前在家里，觉得时间过得好慢，15 岁之后，时间在嗖嗖地溜走。

后来姥姥在华野十四军医院（应该是华东野战军战地医院）做过护士。说是医院，其实就是行军到每个地方，在村里用门板建成的露天"病房"。我不知道小脚行军的姥姥是怎么挺过来的。她行军的时候曾看着自己的堂姐死去。后来，姥姥照顾一个 16 岁的伤员，他背上全溃烂了，每天给他换药要先赶走很多苍蝇，几个月后，那位战士还是牺牲了。姥姥晚上要去井边打水给伤员换药，会路过一片片尸体和白骨。

我小时候听姥姥讲这些，总觉得像看电影一样。长大了以后我才想，一个年轻的姑娘面对这么多的生死和人间苦难是怎样一种体验，更别说这是那个时代的常态了。

战争时期过去以后，姥姥已经是职位蛮高的干部了。她28岁还没结婚，是大龄女青年，经过组织安排，她和年长近10岁的姥爷结婚了。

永远"年轻"的灵魂

姥爷生于1914年，做过地委书记，头脑清楚、性格强势。姥爷不那么爱说话，他给我讲过自己的部分经历。有一次是装成农民进城，城门口有人检查，快到他时，他突然意识到身上带着钢笔，要是被摸出来就暴露了，于是趁士兵不注意，让笔从裤腰那里顺着裤管滑下去，然后假装重新整理绑腿，把裤腿绑好。到检查的士兵那里，姥爷就是一副庄稼汉的样子，脸不变色心不跳，顺利过关。类似的经历还有很多。

姥姥1.68米的个子，高高瘦瘦，很是个美人。后来三年困难时期，她把粮食都留给丈夫和孩子们，自己吃树皮，以致瘦骨嶙峋，肚子浮肿得厉害。她觉得自己挺不过去了，就穿上旗袍，照了一张"鬼一样"的照片，想着万一自己去世了，孩子们还能有张妈妈的照片看看。试想当时年轻的母亲看着没长大的5个孩子，自己去照那张照片，内心是怎样的一种绝望。

熬过了困难时期，生活还是紧巴巴的。妈妈刚生下我的时候，姥姥来看望我们，但除了能买公共汽车票的钱，真是一点儿钱都没有了，她很发愁。下公交车的时候，姥姥竟然在地上捡到两元，真是喜出望外！在那个年代，两元是巨款。因为已经下车，找不到丢钱的人和司机，于是姥姥干脆开开心心地买了些吃的，看了妈妈和刚出生的我。姥姥经常讲起这个故事，每次都觉得不可思议。当然，她也会念叨丢钱的那个人肯定急坏了，只能心存感恩，感谢生活的眷顾。

20世纪80年代，姥姥离休了，开始学国画。说实话，我不觉得姥姥画得好，只是觉得老人有这么个爱好能消磨时间，挺好的。所以每次姥姥让我看她的画，我都半看半敷衍地夸"好"。

直到2013年，我开始粗浅地了解艺术，再看姥姥的画才突然觉得开窍。艺术是灵魂的表达，姥姥的画中美丽丰富的颜色不就是她的乡村？那恬静的鱼、虾、荷，不就是一种人生态度？我在30多岁时终于看懂了姥姥的画。我后来一直鼓励姥姥画画，因为精神和灵魂永远不会老去。

家人的衰老经常是以不经意的方式出现在生活里的。姥爷去世前几年给自己买了一双大红塑料拖鞋，很滑稽。面对我们的疑问，他说：因为别的颜色我看不见了啊。

2017年12月24日，姥姥去世。我接到妈妈电话的时候正在午睡，刚听到消息就坐起来，在拉着窗帘的暗黑屋子里，止不住地流眼泪。

我们都知道生命可贵，但只有生命逝去的时候，我们才知道那个生命、那样的呼吸、那独一无二的声音不复存在的滋味。

想起小脚的姥姥领儿时的我过河，姥姥给我塞进书包的西红柿，姥姥在我每次离开时塞给我的钱和糕点……那温暖的手、那当时听不进去的叮嘱，再也不会有了。

人到中年，虽然是在生命的长河中最强壮的阶段，但在面对疾病、衰老和死亡时，都是一样无力的。

但我知道自己是幸运的，因为不管物质条件多么贫乏，这无条件的爱让我走到了现在。

妈妈的五次失业、五次转行

一次出差，我在飞机上看了讲美国联邦最高法院有史以来第二位女性大法官鲁斯·巴德·金斯伯格的生平的纪录片，看完真是无限敬佩。金斯伯格是一位身高 1.52 米、体重 45 公斤的瘦小女人，她一生为女性平权和社会正义做了无数了不起的事情。

看这部电影的时候，我好几次想到的人就是我妈妈，她也是小个子。

我能成为今天的我，很大一部分原因是我的妈妈在物质有限的年代，仍然给了我无价的精神财富。

"女超人"

之前有人叫我"女超人"，但说实话，和我妈妈、姥姥以及她们的同辈人比起来，我遇到的这些所谓的困难都显得弱爆了。她们才是真正的"女超人"。

我妈妈出生于 1951 年，16 岁下乡，和同龄人一样，都是热血青年。不过难能可贵的是，她那股热血在后来的很多年里一直没有消失。下乡回来，她在济南化工厂当了一个普通工人，换过很多岗位，还当过厂里的小学老师。

1972年，有高校招收工农兵学员的机会，妈妈很幸运地去了山东大学化学系读书，毕业后回到工厂，从车间主任开始做起，靠自己的勤奋和努力一直做到总工程师。那时候她的理想就是要做出好的化工产品，建设国家。对现在的人来说，那个理想可能宏大地可怕，但那一代人对于专业没有什么选择权，走上一条路，就要尽己所能做到最好，这种敬业和坚持其实非常珍贵。当年我妈妈与那些化工厂的工友身上有很多让人感动的品质，那是他们那一代人特别明显的烙印。

我7岁的时候（1984年），济南化工厂有难得的机会送员工去德国进修，学习塑料加工技术，但是需要从零开始学德语。妈妈参加了8个月的强化培训，夜以继日地拼命学习，因为白天要工作，于是她早上5点起床，在外面背课文，午休和上下班路上的时间也不放过。后来她在结业考试的口语一项得了最高分1分（德国考试1分最高，5分最低）。

我的孩子现在差不多是当时我的年龄，如果给我这个机会在全职工作和孩子之外从头开始学一门外语，恐怕很难做到她这么优秀的程度。

学了8个月德语之后，由于德语水平优秀，她提前3个月进入了实习期。

我妈妈说，那时候国内条件有限，"超市""高速公路"这些词都是在课本中学到的，根本不知道是什么。所以，初到德国的那些同学闹了很多笑话：骑着自行车上了高速公路，还以为路肩是自行车道；有男生在超市买了画着狗头的狗粮罐头，以为是狗肉，想买回家当下酒菜；去买公共汽车月票，当地的办月票程序是填写申请表再去办月票，但他们不知道，以为填完表就办成了，于是每天上公共汽车时就把那张表亮给司机看，弄得司机和满车乘客摸不着头脑，过了半个多月他们才明白搞错了。

这些故事现在听起来是笑谈，但那是当年出国的人常见的窘态。

回国以后，我妈一直是核心技术人员，几年之后就做到了这家有数千名员工大厂的总工程师。在她之前，这个总工程师的位置空了很多年，她是第二位做到总工程师位置的女性。人们似乎都觉得女性是柔弱的，但我认识的很多女性都是了不起的有担当的人。我妈就是离我最近的一个。

办法总比困难多

和同时代的很多人一样，妈妈是个理想主义者，总会做一些别人眼里的"傻事"。

她 16 岁下乡，19 岁进工厂，带着"主人翁"的自豪感做了一辈子"革命的螺丝钉"。她和同事把青春献给了济南化工厂。妈妈虽收入不多，但精神富足。

1989 年，我妈 38 岁，那年她离了婚。离婚这件事在当时是很少见的，于是有风言风语传开。可以想象她当年顶着多大的压力。几乎在同一时间，我妈因为看不惯厂子里的一些不良风气，又无法改变，就提出了辞职。那时候辞职可不像现在，国有工厂的工作就是你的一切，辞职不仅意味着没了工资，也意味着没了社会保障，还没了房子住（房子是厂里分配的），就连配发的煤气罐和袖珍计算器都得交还，净身出户。

那段时间，我和我妈过得很狼狈，搬了好几次家，可以算是"颠沛流离"。所以，我印象里的"家"从来不是自己的家。那些年唯一给我稳定的家的感觉的是姥姥家。这么多年，虽然姥姥家原来的平房院子没有了，盖了楼房，但姥姥家至少还在原地，成了少年的我在"流离"的生活里的一块稳心石。

"流浪"的最后一站是小姨家，直到我上大学。

我高一时的班主任赵温霞老师后来说，当时的我和她说，以后要让妈妈过上好日子。我都不记得这件事了，但是回想那时候，生活的确悲摧，"让妈妈过上好日子"也的确是我的目标。

我妈最了不起的一点是她从来没有感到悲观、无望。

她爱说的一句话是**"都已经这样了，那就想办法呗"**。这对我其实有很大的影响：遇到问题或失败时，第一个反应是想办法。妈妈的婚姻失败、工作困难，但"已经这样了"，愁眉苦脸也没用，用她的话说，就是"该干吗干吗"。在我的记忆里，她的情绪从来没低落过，或者至少没让我看到过。妈妈这种对待失败的态度，是我后来心理"强大"的很重要的一块基石。

从工厂辞职后，妈妈先是在中意合资的塑料企业做意方代表，但好景不长，不到一年，意大利公司就解体了，她又没了工作。那段时间，她每天在家打毛衣、做服装，而我在上高中，心思正值敏感期，很为我妈感到羞耻，认为堂堂总工程师就这样在家里打毛衣、看电视是不好的。多年后，妈妈告诉我，那时候最难过的是周二，因为周二下午所有的电视台都没有节目，而她以前工作时从不知道这一点。

我还记得当时给妈妈提过职业建议，让她去做德语翻译，觉得那样总比打毛衣强。现在想想，当时真是什么都不懂。妈妈面临的窘境是：社会圈子都没有了，还有人等着看自己的笑话，生活没着落，每月只有出项没有进项，离了婚，还有一个半大的孩子要养。妈妈从来不向姥姥和其他家人诉苦，但我记得小姨和舅舅那些年经常接济我们。

我那时候特别期望高中毕业保送清华大学后，能去三峡玩一次。后来因为各种原因没玩成。很多年以后，我妈才告诉我，她知道我决定不去了时如释重负，因为如果要去玩，"哪儿有钱啊？但我又不能这么告诉你"。

在"该干吗干吗"4年之后，也就是妈妈42岁那年，她遇到了我继父，又结婚了。现在想想，当时再婚也是很励志的一件事。

我继父后来到北京一家报社工作，我妈就一起到了北京。她在新的城市无亲无故，和我继父在南城租了一个半地下室，条件很简陋，晚上睡觉时，会有老鼠在床上爬。

我妈那时候在报纸上看到招聘广告，给自己找了一份工作，一个月工资很高，有 2 000 元。但是一个月以后公司就解散了，妈妈又失业了。后来找的一份工作，是给一个民办的旅游学院做副院长，训练农村来的学生端盘子、叠被子，院长是她以前化工厂的下属。现在想想，一个出过国的高级工程师做这些，在当时肯定是匪夷所思的。但我妈高高兴兴地去了，还非常感谢这位同事雪中送炭。

上一辈女性的"大智慧"

把那段起起伏伏的日子写出来，感觉好像很坎坷，但是在我的印象里，妈妈一直是高高兴兴的。每次去她在南城的那个半地下室，我还可以改善生活，有鸭翅膀或鸡脖子吃。后来我妈才说，她每次都是等到下午店铺快关门的时候去买，有折扣，还有可能用很少的钱包圆儿呢。

我妈偶尔会在周末从南城来清华大学看我，骑自行车单程得花一个多小时。我那时候和很多新生一样，压力巨大，每天早出晚归，还是觉得学习时间不够用。我妈在周末来看我，我跟她说压力很大，有做不完的事。她看着我愁眉苦脸的样子，想了想，说了一句我现在都记得的话："哎，去它的吧，走，咱俩出去玩玩，放松放松。"

校园里有卖猕猴桃的。猕猴桃那时候属于稀罕东西，我现在还记得，10元一斤。我一直节省得很，一顿饭只花两三元，猕猴桃连想都没想过。我妈二话没说就掏出钱买了四五个，我们俩像小孩子一样坐在路边的花坛边剥皮吃掉。她当时说：不要想贵不贵的事，咱又不是天天吃！后来我们俩骑车去天坛公园，我就像被放出笼子的小鸟，那些压抑、压力，在我俩一路的说说笑笑里烟消云散了。

那个周末，10元一斤的猕猴桃、遥远的天坛公园、小个子的妈妈骑着有点儿够不到脚蹬的自行车，那一幕幕是我大学时光的大亮点和转折点。妈妈没有帮我想办法学习，而是带我出去撒野，现在回看，这是多大的智慧！

这就是那时候我妈给我的感受：眼下的困难没什么大不了的，咱想吃啥吃啥、想玩啥玩啥。虽然当时实际的生活捉襟见肘，但妈妈给我的这种精神上的富足感真是无尽的财富。

妈妈留学后的这么多年没有丢下德语，在北京失业后，她又折腾做了几份工作。在她48岁那年，机缘巧合，当年资助她们去德国的基金会找到了她，并且惊喜地发现，十几年过去了，她的德语竟然还很棒，就请她帮助这家机构开设中国代表处，并做该机构驻中国的首席代表。妈妈从一个人开始，骑一辆自行车在偌大的北京找办公室、申请资质、跑大使馆、结交不同的人，几年间就把代表处做得风生水起。

回顾妈妈这些年跌宕起伏的经历，我自问：有没有同样的勇气？如果有同样的境遇，能不能做到毫无怨言，每天笑对生活？我想我大概率是做不到的。为什么我在公众号写文章，要"不端不装"，因为有时候看看我遇到的所谓的职场挑战，相比上一代人的经历算什么呢？实在是"端不住"。

我回顾妈妈和姥姥的故事，才深刻地感受到，其实长辈所处的时代，"转型"更难，更没有准备，人生常常不得不被归零，重新开始。用现在的话说，我妈这些年经历的"失业"和"转型"加起来至少有五次。但是有勇气面对并付诸行动，总可以走出一条路。

给孩子最大的财富

我妈妈一直很乐观，还充满了幽默感。我记得有一段时间流行用 DVD（高密度数字视频光盘）播放机，它有一句广告词，叫"三碟连放，超强纠错"。我妈那时候有点儿中年发福，肚子上有赘肉，有一天，她坐在姥姥家沙发上说："你看我这肚子，真是'三叠连放'。"然后她把衣服往下一拉盖住肚子，又说："不过可以立刻'超强纠错'！"大家都笑得前仰后合。

我妈不仅幽默，还充满了各种智慧。

一迪出生后，因为家里孩子多，没地方洗澡，妈妈就把厨房的洗手池调整了一下，变成了一迪的浴盆——洗完菜，洗孩子。

她还喜欢做饭，在饭店吃到好吃的东西，回到家就琢磨，变戏法似的就能把它们做出来。在美国帮我带孩子的时候，她闲不住，包山东大包子和饺子。包多了，自家吃不完，就送给别人吃，后来很多中国胃慕名而来，妈妈索性多包点儿，卖出去。

有了卖包子赚的一点儿现金，妈妈就在看孩子之余去二手店买东西。孩子的儿童推车就是我妈在二手店花20美元买的。除了这些"有用的"，妈妈在店里每看到一个可爱的"无用"的小东西——陶瓷青蛙、小装饰品——都会两眼放光，像个小女孩。

我想，看到可爱的小东西眼里会放光的人，是一个灵魂离外在很近的人。社会让我们获得的所谓的经验，往往使人的外壳太厚。能透过表层看到的灵魂，是生命里的无价宝。

———————

我想这就是父母可以给孩子最大的财富：**富足的心灵，在任何困难和低谷面前，都相信"我可以"的信念和行动，以及对生活的无限热爱和幽默感。**父母不需要说教，他们对自己生活的态度，就是给孩子最大、最真实的激励。

陈行甲在文章里说过，他的妈妈是火柴的光，照亮了他家的小山村。我想，我妈妈也是这样一根火柴。这个世界就是因为有很多这样的小小火柴，才让人感到温暖和有希望。

觉察练习 · **来处**

知来处，方知去处。

你的来处是什么样的呢？

对你的成长非常重要的那些人是谁，为什么？

在过往的哪些关键时刻，他们给了你什么样的温暖和启发，对你的今天有什么样的影响？

写一写你想对他们说的话。

扫描本书封底二维码关注"奴隶社会"公众号，在消息栏发送"**来处**"，即可收到我的更多分享。

第 20 章
不敢不完美

占有多少才更荣耀，拥有什么才能被爱？

穿黄衣服的 9 岁女孩

姥姥和妈妈的爱照亮了我的童年和少年时期，给了我的生命温暖的底色。

但我的内心并不是无障碍的。当光照过来时，那些障碍就会投下长长的黑影。

我的人生粗粗一看，可以说是"自强自立、成功顺利"。小时候和姥姥姥爷在一起的时间很长，记得他们说得最多的话就是女孩子要自强、自立。

我的确没有让他们失望，很自强、很自立。如果知道要求是100，我就做到120，如果120不够好，我还可以做到150。父母离婚后，我和妈妈一起生活，妈妈从来没有给我过压力，但是我知道生活不会容易，要对自己有要求。

高中毕业，我以年级总分第一的成绩保送清华大学。本科毕业到美国，在迎新会上听说博士研究生平均需要6年半才能毕业，我感到非常恐惧，于是夜以继日地泡在实验室，用4年拿到了博士学位，其间发表8篇论文，其中4篇是第一作者。

之后，我入职麦肯锡。公司内部有一句评价自己人的话，说招来的都是 Insecure Overachiever，即**"内心有不安全感但特别优秀的人"**。我当时就觉得这总结得太精妙了，就是我啊！当时只因为这个称呼里的"优秀"而沾沾自喜，觉得带着些许自嘲说的"内心有不安全感"是优秀的必要前提条件。

等我意识到"内心缺乏安全感"的真正含义，以及它对我从童年到如今、从内到外无处不在的影响时，竟然是15年以后的事情了。

在麦肯锡的第8年，我接触了职业教练，开始了向内看的旅程。很多年后，2020 年 9 月，我参加了职业教练协助组织的一个为期几天的线上工作坊。

工作坊中，导师带领大家一起念诵词：

I Love You. I'm Sorry. Please Forgive Me. Thank You.
（我爱你。对不起。请原谅。谢谢你。）

我之前接触过这篇诵词，很抗拒，脑子里有个声音一直在说："我没有什么对不起的人，也不需要谁原谅。"

导师说，这无关忏悔，也不需要有期待，闭上眼睛，一遍遍念诵，出现什么，就接纳什么。

于是我开始念：

我爱你。对不起。请原谅。谢谢你。
我爱你。对不起。请原谅。谢谢你。
我爱你。对不起。请原谅。谢谢你。

像所有的冥想和念诵一样，当你投入其中，奇妙的事情就会发生。我感到内心有东西开始融化，我开始沉浸。

我闭着眼睛，并无期待。

不经意间，有一张面孔非常清晰地出现在眼前。那是一个小女孩——不是别人，正是 9 岁的我。

我家里有一张我 9 岁的照片，里面的我笑得特别灿烂，穿着一件黄色的套头衫和绿色的裤子，是周末在济南的解放阁拍的。我看到的就是这张照片里的我。

这时候，我的眼泪不自觉地涌了出来。

---

9 岁的时候，我已经知道爸爸妈妈不幸福，已经知道很多事要靠自己做，已经知道不要给别人添麻烦。

照片中的小女孩那灿烂笑容的后面，是处处察言观色，是假装看不见家里的冲突，是黑夜里在自己的小床上下定的决心，是提醒自己拍照的时候要笑得快乐一点儿的努力……它们一下子浮到了眼前，带着情绪和记忆的刺与痛，是热的、胀的，一点儿也没有褪色。

我爱你。对不起。请原谅。谢谢你。

小女孩的面庞就在眼前，努力的笑是那样清晰。

我看着她的眼睛，泪水早已模糊了自己的双眼。

虽然我的生活里有很多爱，但其实这个小女孩的样子一直不曾消散。不是我得到的爱不够多，而是小女孩为了保护自己不受伤害，构建了一堵自我保护的高墙。于是，外面的光照进来，有光亮，也有了长长的阴影。

岁月经年，墙还在那里，我把这堵墙后面的小姑娘压在下面，又盖上了一层层岩石。

我知道，我的故事并不独特，很多人内心都有这样的小孩和石墙。

在大部分时间里，成年的我们似乎已经和过往挥别，生活早已大步向前。但其实，除非真的去除层层岩石，看到和面对埋在下面的自我，我们并没有真正离开。我们的生活无非是照着同样一个剧本，在不同的布景下一次一次重演。

那个进入麦肯锡的"内心有不安全感但特别优秀的人"，其实只是在被恐惧追着跑的小姑娘成年了。

拥有什么，才能被爱

其实我的家庭已经给了我很多爱——姥姥姥爷、妈妈、我的生父和继父都是善良的给予我无条件的爱的人。因为父母离异，我的小姨和姨父、舅舅舅妈、姑姑姑父、叔叔婶婶、父母当年的同事，都特别关照我。我的成长没有受到过什么世俗意义上的伤害。

即便这样，我还是有深深的自我评判，可见自我评判和攻击有多么普遍。当我开始看到真正的自己时，也就看到了我们周围那些看上去光鲜亮丽的人，其实都是带着沉重的包袱和伤痛行走在人间的。

我在成年后很久才慢慢开始看见对自我的评判。我看到了自己的思维模式、情绪模式、行为模式都有很多如机器一般的条件反射。我看到了这些年让自己前行最重要的动力是不让周围的人失望，大家认为什么最好，我就全力以赴去做到。我从来不知道自己真的想要什么，也曾经觉得这完全不重要。我发现自己很多时候像个机器人，由几个按钮——"别人说什么""别人是否认可""是否达到别人的期待"来决定自己的喜怒哀乐。

我们耳熟能详的严于律己似乎是美德，但当它不是内生而是外加的时候，其实就是一个对内的矛头——对自己格外苛刻，充满了自我评判、自我攻击和自我霸凌，这都是内在的暴力。我们很多人都带着这个杀伤力很高的武器，矛头对内地生活。这个武器很锋利，也很笨重。要想摆脱它，就需要睁开眼睛往内看，看到这个对内的矛头扎着自己，看到伤口，把它拔出来，才能开始自我修复和疗愈的道路。

疗愈过程要多久？你问。

好消息是，这和肉体的伤痛不一样，要多久可以由自己决定，可以是几年、几个月，也可以只是一瞬间。

———————

自我评判的背后其实是深深的恐惧——如果我没有做到什么样子，没有满足什么样的期待，就不会被接纳、不会被爱。

所以《无问西东》里的这句话，问到的是根本。

"占有多少才更荣耀，拥有什么才能被爱？"

好的艺术作品在于它能触碰人的灵魂深处最根本的东西，这就是这句话如此"刺耳"和入心的原因吧。

我们终其一生在追寻的是什么？无非是爱罢了。

工作成就、物质生活、人际关系、社会地位和名声，如果"我"不能在其中真真切切地感受到无条件的爱，这一切又有什么意义呢？

我们一直被告知生活的优秀与否有客观的标准：考试的成绩、学校的名次、工作的职位、工资的高低……似乎有了哪些客观的成绩，占有了哪些资源，才可以幸福。

40岁之后，我才慢慢明白，人生无非是一趟主观的旅程。

如果内在没有感知、给予和接受爱的能力，有再多"客观"

条件又有什么用呢？

但我们大部分人却因为紧紧抱着颠倒的理念，一生不断地外求和奔跑。

这样的奔跑其实是逃离。

逃离什么？逃离不被接纳的恐惧。我们会觉得再用力一点儿、再优秀一点儿，就离这恐惧远了一点儿。但这样奔跑过的我们都知道，这种恐惧永远会在后面跟着你，当你拥有了曾经追求的东西时，就会发现前面还有更好的、更大的、更需要追求的东西。你拥有的东西越多，恐惧就越强，因为你更害怕失去这些，害怕"回到原点"，什么都不是。所以，我们会不停地跑。

我的那些"不敢"、那些"放不下"，其实都属于这样的奔跑。

我们大部分的人生都在被恐惧追着跑。那恐惧像一个巨大黑影跟在我们身后，我们要不停地跑，想甩掉它，但却发现永远甩不掉。

为什么甩不掉？

因为这个黑影是我们内心构建的幻想。出路只有一个，便是转身面对，一旦面对，就会发现其实那里什么都没有，原本的黑影灰飞烟灭、瞬间消散，留下一片灿烂阳光。

恐惧从何而来

我们认为伤害自己的是外面的人和事，但其实所有的伤害都是通过内在自我才起作用的。这就是为什么同样一件事发生，有人完全没受影响，有人就会受到巨大的影响和伤害。所以最难面对的，是我们这个内在的施暴者。

它是谁？为什么会在那里？

它就是那个"小我"、那个"我执"、那个前文提到的"吸铁石"。它不是真实的"我"，它只有当我们在恐惧中时才能存活，因此它和我们的头脑配合，让我们总在编织让自己恐惧的故事。恐惧不是真实存在的。当我们和"小我""我执"分离，恐惧就没有了生存的空间。

所以，要想真正消除恐惧，就要回答这个核心问题：**你了解自己吗？**

这些年，我其实只做了一件事，就是向内探求，了解自己，接纳自己。这个过程同时让我意识到所有外在的发生都是内在的外延。

2014 年，我写了《你了解自己吗？》这篇文章的第一稿，起因是 2013 年我在波士顿参加了麦肯锡合伙人的职业发展项目，接触了职业教练，开始向内看的旅程。现在大家所知道的我做的事情，都是在那之后发生的。这期间，我一直和教练 Patrick 保持着定期的联系，想想也是非常神奇的一件事情。

2017 年，我开始做诺言社区，用的就是"向内看，向前走"这句话。

开始这段旅程之后，我发现我们感受到的所有外在，包括环境，人际关系里的焦虑、不满、不和谐，其实都和我们的内在有一一对应的关系。我们的内在没有和解的部分，就会以不同的形式，在外在不同的人、不同的事上体现。

了解自己

2013 年的那场培训无关知识、技能或技巧，而是关于灵魂和人性。这听起来玄乎，但其实人类社会的所有问题，以及任何商业战略制定与执行的背后，都是和"人"有关的问题。所以不管在哪个领域，不深入地懂"人"就不能成为好的领导者。

这场培训里提到的"了解自己"，就是了解图 20.1 里这些圆所代表的自己。

圆的最外面一层是标签化、外化的自我，就是大家耳熟能详的我们对人的各种描述，比如毕业院校、工作单位、职位、年薪。我们在少年时对梦想的很多定义，经常都是成为某种自我。在职业之外也有各种标签，比如"女强人""学霸"等，林林总总。说到底，这个就是外人眼里的我。

我们日常的社会活动和人际关系其实都是在标签化和外化自我的层面。这没什么不好，"标签"有些时候有助于我们快速得到有效的认知。

但是我们对自己的认识不能停留在外在自我层面，因为外在的东西是可以变化、可以消失的。

外化的自我下面是一对非常矛盾的东西，外面一层是批评家，就是我们脑子里总有的那个"你不行"的声音。它本身就很矛盾，因为它一方面是那个扯后腿的，另一方面是为了保护你。保护什么？保护你受过的伤，也就是再里面的一层。

举个例子。你因为儿童时期的成长经历被家庭认为是负担，这就是一个受过的伤，由于这个受过的伤，你内心的批评家就会总说："你是个负担，你不够好，你得证明你很好，才有权利得到你应该得到的。"这就导致你外化的自我是看上去非常努力、追求优秀的人。所以这个特别努力的人是挡在伤害外面的一层，给真实的自我带了一个面具，以免再次受伤。

我们的"追求完美"就是这样一个批评家。我们用"完美"做自己的保护壳，希望通过它来掩盖自己深处的伤痛，获取认可。

这个圆心就是大我、真我或者灵魂。这是最重要且最需要探求，却最难用语言描述的东西。但这才是"我"的本质。

"真我"是有无尽的爱的，所以如果"外化的我"能放下取悦，明白不是取悦带来的爱，明白其实爱是一直在那里的，我作为我，就是值得被爱的，我们才能前往幸福之路。

将这几个同心圆放在一起看，是对我们自我的一个看似简单却全面且深刻的表达，其中隐藏了快乐生活的巨大的秘密。

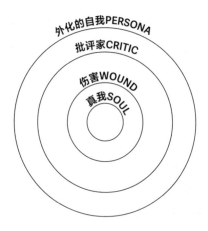

图 20.1 "了解自己"示意图

如果要得到真正的个人内心的快乐，有两段必经之路，一是自外向里，能够透过外化的自我去看内在的"批评家"和"受过的伤"，进而触摸本我。能做到这一点已经是很不容易了，但真正的快乐来自第二段路，就是自里向外，让外化的自我成为内在灵魂的真实外展。看到了这段路，你就会理解**幸福的密码在于外化的自我和本我的同一。**

其实我们所有的不快都来自外在的我和真我的脱节，就好像没有根基的枝叶，风一吹就散。所谓的自我发现，就是寻找、感受和连接这根基的旅程。真我就是那个总在"觉知""觉察"的存在。

———————

最后分享一个小故事。玄力阿姨是我特别敬佩和喜欢的人物摄影师，从 2003 年起，我们家的人就在玄力阿姨那里拍照，这些年留下了无数的美好回忆。好的人物摄影师有的不仅是技术，更有对人的洞察力。

玄力阿姨出生在摄影世家。她妈妈是新中国成立前济南最有名的照相馆的主力摄影师，这在那个时代是不可思议的。她妈妈就是因热爱而执着。玄力阿姨给我讲过一件小事，她妈妈年纪很大之后，已经不能走路，坐在轮椅上，也开始失智。她经常说："我怎么觉得座位下面有东西在硌我，看看是不是个胶卷。"这个细节特别打动我，它透出的是奶奶对摄影深深的热爱，这和体力、能力、智力无关，这种爱已成为身体最自然的一种觉察，在生命最深处呈现。

评判是一件很难觉察的事情，尤其是我们已经内化的评判。

有没有某种自我评判是你多年来"无意识地默默坚持"的？外貌？本领？成就？

尝试画出你的四层"同心圆"。从最外面的标签层到批评家，再到伤害，最终尝试连接"真我"的存在。

扫描本书封底二维码关注"奴隶社会"公众号，在消息栏发送"**完美**"，即可收到我的更多分享。

第 21 章
人生最大的问题：我是谁

我们向内探索自己的根扎得越深，

向外伸展的枝叶就越繁茂。

我是谁?

这是我们人之为人的终极问题。各个时代的智者都告诉过我们答案,但是对每个人来讲,只有当这个答案是自己参悟的结果时,我们才能真正理解。

有一个小故事。一个犹太人给一个纳粹军官看了一大摞文件,说"这是我的学位证,这是我的职业证明"等,借此说明自己是一个有价值的人。这个纳粹军官说:好,给我看看。他拿过这一摞材料,转身扔进了垃圾桶,然后说:好,你现在什么都不是了!

我当时听了很受震撼,因为我也曾经是那个战战兢兢地拿着一摞证书的人。如果不是证书、履历,那我是谁?

我是经由另一个和纳粹时代有关的真实人物——维克多·弗兰克尔理解这个答案的,我在诺言社区推荐的第一本书,就是他写的经典作品《活出生命的意义》。

弗兰克尔是纳粹集中营的幸存者,也是个心理学家。他因为对夫人的爱,在集中营无比恶劣的环境中活了下来。由于他心理学家的身份,他也在观察和研究,什么样的人能够在集中营里活下来。他得出的结论,简单来说,就是不管环境怎样恶劣,保持内心希望,能活下来的概率就会大大增加。内心最大的力量,就是哪怕在那样极端恶劣的情况下,仍然有选择如何面对的自由。正是这个选择让弗兰克尔活了下来,并在二战之后继续做有巨大意义的心理学研究。

我们很少会遇到类似的极端外部限制,但我们经常忘记内心永远拥有的这种自由。

弗兰克尔在世的时候,做过一场非常有意思的演讲。

他说当时在学开飞机（那时候他年纪已经很大了），飞行教练告诉他，如果你的目标是从西往东飞，正好有从北边刮过来的风，那么你朝正东飞的结果就是飞到东南方向；如果你希望落到正东的目的地，就一定要偏向北飞。

然后，他话锋一转，说人其实也是一样的，如果我们只是认为"我"是自己想成为的那个样子（就是正东那个目的地），我们就会落到东南的那个"更低"的位置；我们如果想真正成为理想中的样子，就一定要把目标设立得更高，一直"往上（北）飞"，才有可能真的落到正东那个目的地。

这个演讲片段很幽默，又蕴含着非常深奥的道理。

我们能接触那个"更高"的"我"的时候，才能活出"我"的样子。

"更高的我"是什么？

是我的经历吗？是我的情绪吗？是我的梦想吗？是我的能力吗？这些其实是"小我"。"小我"是"拥有"的那个我，拥有学历、职位、人际关系、财产。因为拥有，所以害怕失去。其实这些东西并不真正"属于"我，它们都是可以变化，也可能消失的。如果我们把自我建立在这些"拥有"之上，那一旦拥有的东西变了，我们自我的根基也就变了，这是一件很糟糕的事情。

那"更高的我"是什么呢？

是在"小我"后面的那个"觉知"。

不是关于"拥有"，就不可能"失去"。所以，这个我才是"真"的，是有无限性的，是永恒的。当我们能和这个"真我"联结时，就是和"更高"的我连接，我们才能活出"正东"的那个人生。

如何接触"真我"呢？从觉察开始。我们平时生活里的念头、内心的起伏都是入口，佛经说觉悟有无量法门，就是有无数的入口。只要诚实面对自己，那么每个念头都可以是通向我们内在觉知的钥匙、入口和路径。

自我认知的终点在哪儿

认知自我的最终目的不是给自己一幅清晰、具体的画像，而是不论遇到顺境还是逆境，内心都可以处于"平安喜乐"的状态。

这听起来似乎有些虚无缥缈，但真正了解自己的内心，其实是自由生活的基石，从柴米油盐、人际关系，到家庭生活、职业发展，我们想追求的东西都反映着我们的内心状态。

做到什么程度才算了解自己呢？这个路径有终点吗？终点是什么？

我听过一个段子。

一群有精神追求的人明白了人生的目的无外乎开悟，所以在修行一段时间后，去找佛祖，想知道他们什么时候能够开悟。

第一个人走到佛祖面前问：我什么时候能得道啊？佛祖把手放到他头上一摸，说，再有 100 辈子。他很失望地叹了一口气，走了。

第二个人走上前问：我什么时候能得道啊？佛祖把手放到他头上一摸，说，还要 500 辈子。他很失望地叹了一口气，走了。

第三个人走上前问：我什么时候能得道啊？佛祖把手放到他头上一摸，说，还要 1 000 辈子。他大松了一口气，很兴奋地说：啊，太好了！这说明我早晚可以得道啊！

我们最终是要做"第三个人"。要明白，**了解自我是一段无尽旅程，不管现在在哪儿，有多少次反复，也要坚信你正在走向开悟和幸福。**

这个向内的探寻和做一个高效能的外在的我不仅不矛盾，反而相辅相成。我们向内探索自己的根扎得越深，向外伸展的枝叶就越繁茂。因为我们越和世界的本意相连，就会有越多的精力、能量、灵感和创造力，就能由内到外生活，表里一致，达到自洽和丰盈。

如何与"真我"相连？

知道"我"是谁，这条路的目标是什么后，该如何去接近"真我"呢？

路径有很多，主线却是同一条，就是跳出惯性，跳出外在的形式，跳出头脑里的声音，跳出佛经讲的"相"，去看世界的本来面目。

生活处处是我们了解自己的"法门"，别人说的一句话、给的一个眼神在你内心引起的一丝波澜，都是入口。我和大家分享三个日常就能用的方法。

> **→ 问自己"五次为什么"**

Patrick 给我讲过一个小例子。他是秘鲁人，移民到了美国。在秘鲁的时候，到餐馆吃饭给服务员小费，大概是消费额的 10%，美国基本是 15%。他每次去吃饭都给 20%。他的太太就问他为什么每次给这么多，他说因为人家服务好。可是有一次，服务员态度并不好，Patrick 还是留了 20% 的小费。太太又问他原因，他于是也问自己：这些服务员和我再相遇的概率几乎是零，我为什么每次都要去讨好这样的陌生人？他从"这扇门"进入，探究内心支持自己这样决定和行动的内因，发现其实因为自己是移民，所以一直希望寻求认可和融入，给超多的小费就是这样一种寻求认可的方式。从这件看上去不起眼的也没有发生冲突的小事，都可以看到我们的内心深处。

在本书的不同章节，我都聊到过自我对话的例子。当我们不断地问自己问题并且不接受"想当然"的答案，能够连着问五次为什么的时候，就会看到，我们被太多的自动反应模式束缚了手脚却全然不知。

有时候，光对话还不够，因为很多困境对应的是内在隐藏很深的伤痛。比如我们有严苛的自我评判，才会寻求外界认可。面对这些评判和伤痛，要"放下"，说起来容易，做起来却很困难。每个人都经历过各种"放不下"：放不下的人、放不下的事、放不下的痛苦。为什么放下这么难？因为它不是靠理智可以做的决定，内在自我和身体都需要看见、感受、释放，才有可能放下。

→ 不要"想"太多，学会感受和释放

现代社会人的常态就是活在"脑子"里"想"事情，

而不是活在"心里"。想太多就是俗话说的内心戏，就是脑子里不间断产生的各种声音。这些声音会让我们更多地处于"树枝"的层面，丧失和本我的联结。

如何进入"心"？有很多路径，其中一条路径就是冥想。当我们有焦虑、不安、恐惧的情绪，觉得缺乏根基的时候，就可以做冥想。

最简单的冥想就是从感受我们的呼吸和心跳开始，从大脑的层面沉入心的层面。我在诺言社区领做过不少冥想练习，也会继续做。大家平时可以体验和练习。

→ 运用艺术

我们在感受艺术和创作的时候，也是在和本我联结的时候。所以，多欣赏和创作艺术，是回归本我的重要途径之一。

2013 年那场培训的引领者就让大家画画，我当时对画画是抗拒的——我小时候学过一点儿国画，觉得那只关乎技巧，而且是某种特长，后来很少画。引领者说：你如果心情不好，就用圆珠笔在纸上画一个黑压压的大蛋，这也是画画。这个大黑蛋其实给了你很多信息，它有很多表达的价值。这个用圆珠笔画的大黑蛋才彻底改变了我对画画的科班定义。

这些年，我买了笔和画本，携带方便，在家里或出差时都画了一些画。我在这个过程中重新体会绘画，从线条到色彩的表达。我远不到专业水平，但是足以体会画画对个人的价值：能让人从脑子里走出来，进入心里。如果写生，就要真的去观察，会发现很多想当然的东西并不是那样的。比如你想到植物，会觉得茎是直的，但是你仔细看，就会发现茎的线条很少是直的；想到灌木，就会觉得那是绿色的，但是你仔细观察，就会发现有很多黑色掺杂其中，那是灌木一层层叶子之间的阴影。所以如果不放下既有的成见，是看不到事物真实的样子的。这本书里的插画，便是我在 2021 年画的一些小品。

觉知之路不是直线的。我在内心深处看到那个 9 岁的小女孩是在 2020 年——我已经 43 岁了。不断面对自我的过程是越看越深的过程，会让我看到之前看不到的东西。一旦看到了，便不会再看不到。就好像黑暗其实不是真实的，一旦有光照进来，黑暗就完全消失了。觉知就是在一次次面对里"看到"，让光照进来。

———————

这一章讲"我"，似乎是一个"自私"的话题，你也许会问，社会、世界都不考虑吗？要知道，如果没有"我"的自洽，就没有我们和世界的有效联结；我们自洽了，才能给周围的人带来光亮，给世界带来真实的力量。

人生的真相

越是"向内"了解自我的人，越可能"向外"给世界带来光亮，这看上去是一个悖论。

人生的真相其实充满了这样的"悖论"。

我们往往用物理世界的定律去理解人生，但人生的很多真谛和物理世界是相反的。

这本书和大家分享了一些对人生的理解，在这一节，我们一起理一理人生的七个"真相"。

_____ 1 _____

人生不是客观的经历，恰恰相反，是主观的过程。最终，我们是谁，想要过什么样的生活，不是别人能定义和决定的，只有"我"有权利、有能力定义自己的人生。所以遇到困境的时候，提醒自己，很可能是我们画地为牢了，钥匙就在我们自己手里，我们永远可以做不同的选择。

_____ 2 _____

物理规律是给予越多，剩下越少。而人生的规律是，给予越多，收获越多。所以我们想收获什么，就要给予什么——如果想收获爱，就给予爱；不想有什么，就不要给予什么——不想被恨，就不要给予恨。

给予本身并不难，难的是不仅给予我的亲人、爱人，还给予遇到的所有的人，包括一面之交的人，甚至是你怨恨的、鄙夷的人。当我们能"无差别给予"的时候，我们就自由了。

我们感受到的外界是内心世界的镜像，如果改变内心状态，我们感受到的外界也会随之改变。因此，在觉得走投无路的时候，不妨向内看，看自己是不是可以"放下"什么。

"烦恼即菩提"，每一个困境都是了解我们自己内心深处，进而移除障碍、走向觉悟的通道。

我们和他人不是分离的个体，每个人的"真我"都是相连的。社会的公平和正义为什么值得追求，因为每一个人都会在别的生命里看到自己。因此人生的终极价值来自和世界的联结与融合，"自私"的生活并不能带来长久的幸福。给予越多，你就会有越多收获，人生也就会越丰富和广阔。

走出困境的唯一路径，是面对它。困境是绕不过去的，你以为绕过去了，但早晚还会掉进同一个坑里。走出困境唯一的"捷径"就是回到困境，面对困境，再走出来。

疗愈伤痛的唯一路径，是感受它。伤痛是掩埋不了的，你以为遗忘了，但一句话就能勾起你最深的痛，直到你通过感受和面对走出伤痛，才能真正实现疗愈。感受的目的不是单纯体验痛苦，而是因为痛苦让我们看到自己那些未被满足的需求，看到未被接纳的自己，进而自我接纳。因此，你在感到痛苦的时候，不要压抑，感受痛苦是走出痛苦的唯一路径。

___ 7 _____

孤独的对面不是和别人在一起的温暖，而是面对自我的勇气。当我们能够直面时，就会知道人生的本质不是"苦"，而是巨大的爱和喜悦。

我想，大家都能在头脑的层面理解这些真相，但做到很难。有一次我在诺言社区做直播，有一个"诺友"说：这些我都懂，但我就是做不到。我回答：这是很正常的，要是你知道就能做到，那就叫立地成佛了，我们都该拜你了。大家都笑了起来。

我们要做的不是成为圣人，而是知道每个凡人都可以活出生命的真谛。

过去20多年一直给我力量的一段话，是傅雷于1935年翻译《约翰·克里斯朵夫》①时在译者献词里写的一段话，我在这里和大家共勉。

_____

① 罗曼·罗兰.约翰·克里斯朵夫（全四册）[M].傅雷，译.海口：海南出版社，2019.

真正的光明绝不是永没有黑暗的时间，只是永不被黑暗所掩蔽罢了。

真正的英雄绝不是永没有卑下的情操，只是永不被卑下的情操所屈服罢了。

所以在你要战胜外来的敌人之前，先得战胜你内在的敌人；你不必害怕沉沦堕落，只消你能不断地自拔与更新。…………

战士啊，当你知道世界上受苦的不止你一个时，你定会减少痛楚，而你的希望也将永远在绝望中再生了吧！

觉察练习 · **我**

请选一件你最近感到烦恼、害怕的事情，写出来。

然后尝试用我们这章结尾的三个方法——自我对话、静心冥想、艺术表达——表达和梳理一遍，看看感受会有什么不同。

扫描本书封底二维码关注"奴隶社会"公众号，在消息栏发送"**我**"，即可收到我的更多分享。

结语
向光的路径

我们最深的恐惧不是我们没有能力。

我们最深的恐惧是我们拥有无穷的力量。

究其根本，人生由两个特别简单却艰难的问题组成：大我和小我，真实和虚幻。

我们底层的矛盾是大我和小我的纠结。小我是"我执"，是"动物我"，是因为恐惧而到处划地盘占有的我。大我是"无限我"，是"神性我"，是那个有大爱、有无限性，知道给予就是收获的我。

这两个，孰真孰假？

小我是关于占有的，我们的职位、房子、财产……你也许会说，这些当然是真的。作为物品，它们的确是真的。但问题是，占有这些的是"真"的我吗？如果是，那么当我的职位变了，财富没有了，爱人走了，我就不是我了吗？我们认为"属于"我们的东西，就真的属于我们吗？就算是看上去属于，又会属于我们多久呢？等它们不属于我们的时候，我们拿什么立命，又如何自治呢？

所以这些虽然作为物品是真实存在的，但是并非对应"真"的我。

因为有"有"，就会有"无"。

所以《金刚经》讲："凡所有相，皆是虚妄。"

那什么是真实的？不会"无"的那个才是真实的。

什么不会"无"？那个无限的"神性我"。

这个无限的我，才是真实的。

这也许听起来很抽象，但如果我们睁开眼睛、留心观察，真实的"大我"其实就在我们的身边，处处都是，人人都有。

我在这里和大家分享三个小故事。

第一个故事

2017 年，广州市华美英语实验学校总校（以下简称"华美实验学校")的陈峰校长来北京，来看当时只有三间教室的一土学校。我白天有基金会的工作，与他见面的时候是晚上了。我们都坐在一年级学生的小椅子上。我问陈校长是怎么走上教育之路的，他给我讲了一个故事。

他小时候家里很穷，爸爸有一次问他：用两分（钱）买什么，可以把这间屋子装满？他百思不得其解。爸爸拿出一根火柴，划着了，火光虽然微弱，但是照亮了房间的每一个角落。

所以，答案是光。

这火柴的光成了陈峰后来从事教育的起点。他考出了农村，上了大学，当老师、校长，一直到现在。

我们聊天的时候，他那慢悠悠的南方口音在夜晚安静的教室里，就像火柴划出的光。

那之后，一土学校和华美实验学校合作，有了广州的校区。

2021 年 5 月，我把这个例子写在文章里，发表在"奴隶社会"公众号上。陈峰校长发了一条评论：

> 真要谢谢一诺同学，谢谢你还记得我的"两分装满房间"的挑战性故事。那是一个"小屁孩"在经历了好几次尝试性的折腾后，脑洞被突然打开，一颗创造的"心灯"被点亮的高光时刻。那也是一个有心的父亲有意设计的亲子教育故事，还是一个情景设计——问题解决的好案例。多年来，我一直在模仿父亲当年的做法，尝试着在华美实验学校的校园内出题考孩子：帮助孩子找竹虫，让孩子们去医治"病了的"假槟榔树，考问孩子"你爸爸叫我校长叔叔，你要怎么称呼我"，要孩子们琢磨如何罚篮更有准头……

你看，当年的那个"小屁孩"现在作为"校长叔叔"，和孩子们进行这些可爱的对话，拥有不同身份的他闪耀着同样的光亮。

2021年，4年过去了，广州一土也从最初的志伟校长和雨轩老师两个人带着11个学生做起，到现在学生总数超过了100，教职员工30多位，在美丽的校园做出了特别生动的教育。

第二个故事

我们家的姜阿姨，从心力、脑力、执行力，到视野、见识都是超一流的人才。你也许好奇我是怎么找到这么好的阿姨的，说来很有趣，当时我们通过中介找阿姨，因为她是金牌阿姨，是中介计划送来做"假试用"的，计划等我们签合同以后就换人。但是我们双方一接触就莫名地喜欢，于是她就留了下来，直到现在，我们都像一家人一样。姜阿姨能盖房、能开车、能种地，也能做针线活儿，做饭、摆盘更不必说，学习能力极强。这些年，我们的生活遇到各种困境，她都能化险为夷。和她接触的人都佩服她的沟通能力和问题解决能力。

我非常好奇姜阿姨是怎么成为她现在这个样子的。从2017年起，每年的"十一"假期，我都带孩子去姜阿姨东北农村的老家。看到姜阿姨的爸爸（孩子们叫他姜爷爷），我知道了答案。姜爷爷家里的工具、农具，都能自己修。我们去的时候赶上收豆子，豆壳要和豆子分开，一般靠簸箕扬，一簸箕一簸箕扬得很慢。姜爷爷有一台机器，这边放进去带干皮的豆子，那边出来的是没有皮的干净豆子，豆皮从第三个口被吹出来。我问他这是什么机器，才知道那是姜爷爷自己做的，外面的铁皮用的是旧的洗衣机外壳，里面是自己买的风机，设计了分离机制，我看了真是叹为观止。

我问姜爷爷是怎么会做这些的，他说从小就爱搞研究，家里没有多少书，他逮住一本书就认真学。但是后来我才知道，姜爷爷更底层的能力是从大自然里得来的，这就是他会做这么多事的秘密。姜爷爷曾经是猎户，在没有指南针和手机的年代，他能几天几夜在没路的山里守熊、猎熊，现在他70多岁了，凭借对大山的了解，能在没路的山里进出自如地采松蘑。

姜爷爷的孙女在农村长大，但是这一代孩子去山里玩已经被看作浪费时间的行为了，所以和我们一起进山玩的那一次，竟然是孙女长到16岁第一次进山。孩子每天被县城的高中课业压得喘不过气。我无比感慨：守着家边上的森林这座无价的"金矿"，却让孩子只坐在教室里。年轻一代也许学了很多知识，也许会有高学历，但是智慧、判断力、能力、体力、心力和姜爷爷一代、姜阿姨一代相比，高下立现。这让人感叹，它到底是教育的进步还是退步？姜爷爷这一代人的智慧已无处传承，这对社会来讲，是进步还是退步？

我们每次去农村，孩子们都特别高兴，虽然路途劳顿，但是孩子们能玩土、玩泥巴，和姜阿姨的弟弟抓鱼、采蘑菇，真是无比快活。姜爷爷一家没有什么教育理论，但是有最朴素的教育智慧，它来自和大自然的联结、和生活的联结，这在充斥着焦虑的今天像金子一样难得。

第三个故事

2018年，一土学校在北京有了个新校区。这个校区是董灏的设计所设计的，从设计到用料，都是最好的，他们将校区改造成了我们理想中的样子，校区的每一个角落都有大家的心思和心血。搬进新校区，看着老师们教课，孩子们在"儿童空间"玩耍，我有种梦想成真的感觉。

台湾道禾书院的创始人曾国俊先生来北京时，曾到这个校区参访，做家长沙龙。曾先生的道禾教育已经做了22年，他是我非常敬佩的中国台湾实验教育的先行者。他进了学校，从一楼走到三楼，在我们做家长沙龙的教室里坐下，一开口就说：我看到这个校区的样子，就知道你们很辛苦。然后，他看了我一眼，补充说，而且是外人不知道的那种辛苦。这是我们第一次见面，第一次说话，他一句话就触及我内心只留给自己的脆弱之地。他也是办学的人，他懂。他讲到教育时，说不必太在意校舍，因为教育有三个"老师"，第一等的老师是大自然，第二等的老师是经典，第三等的老师才是人师。

曾先生后来和我们分享，他当年建的第一个校区，被地主意外收回。第二学期开学，实在找不到地方，就找了一块荒地，用集装箱改造成了两间"教室"，冬冷夏热。家长来了一看，走了一半。他讲到这里，我们都笑了，也都懂。

2019年，我们不得不搬离这个美好的校区。搬离之前要做大量的家长沟通工作。整个周末，我把孩子放在妈妈家，和小月校长一起开家长沟通会。家长们满是失望、不解、愤怒。一场一场沟通下来，虽然大家都接受了这个结果，但是谁的心里都很沉重。对一土学校来说，这不仅仅是搬离，还有前期改造装修投入的废弃，以及只属于这里的完美设计……开完会，我疲惫不堪，还有几个家长没有离开，过来和我聊天。一个妈妈说：一诺，我们知道你很难，想哭就哭出来吧。我一下子忍不住，眼泪夺眶而出。

我想到《窗边的小豆豆》那本书里的巴学园，最后在战争中被炸毁。看着那熊熊大火里的学校，小林老师没有难过，没有痛苦，而是悠悠地自言自语："下次再建一所什么样的学校呢？"[1]

———

这几个故事，其实都是关于失去的。

前文讲过领导力有四个阶段，最后一个阶段是激发。这可能会给人一种错觉，觉得应该越做越高，做到非常高层的领导才可能达到第四个阶段。其实不是这样的。陈校长划火柴的爸爸，在大山里采蘑菇的姜爷爷，面对废墟憧憬未来的小林老师，都能给我们巨大的力量，不是吗？所以，领导力是一个圈，最终回到的地方是人之为人的智慧和勇气。

如果你留意，这样的火、这样的光，我们的周围都有。这种光芒就是"真我"的光芒。我们每个人都可以发出这样的光芒。这就好像我们每个人的出厂设置都是"彩色电视机"，只是我们很多时候被恐惧挡住眼睛，只打开了"黑白档"，但我们的彩色设置一直存在。

我和玛丽亚·凯利（Maria Kelly）在诺言社区做过一次对谈，聊到外界和我。Maria 有非常传奇的经历，她是在麻省理工学院拿过四个学位（两个是本科学位，两个是硕士学位）的学霸，又因遭遇过严重的车祸而瘫痪，有濒死的经历。而后她奇迹般地重生，似乎变了一个人，有非常精彩的生活和事业。她提到，人和外界的关系会经历四个阶段。

———

① 黑柳彻子. 窗边的小豆豆 [M]. 赵玉皎，译. 海口：南海出版公司，2011.

→第一个阶段，事情发生在我身上。我是一个接受者、受害者。

→第二个阶段，事情为我而发生。所有发生皆有缘由，是为了让我看到不曾看到的东西，前往不曾去的地方。

→第三个阶段，事情发生了。事情发生了，和我无关，我是抽离的观察者。

→第四个阶段，事情经由我而发生。我是所有事情发生的通道。

我觉得她的总结非常精妙。仔细品品，这四个阶段的"我"虽然都是同一个字，在每一个阶段的含义却是不一样的，是一步步从小我到真我的过程。第一阶段的我是害怕失去、害怕受伤的小我；第二阶段的我开始有觉知，不仅是接受者，还能看到更深层的意义；第三阶段的我是抽离于小我"吸铁石"的状态；第四阶段的我是真我、大我，我就是创造者本身，和广袤世界是一体的、合一的。

我们要做的这一步步，并不是逼迫小我遁形，而是允许那七彩缤纷的真我显现。

我们一路走来，有许多不敢，而最大的不敢是"不敢发光"。

我？发光?! 怎么可能呢？

就像美国女作家玛丽安娜·威廉森（Marianne Williamson）写的：

我们最深的恐惧不是我们没有能力。我们最深的恐惧是我们拥有无穷的力量。

我们最害怕的，不是我们的黑暗，而是我们的光明。

我们质疑自己，我算老几啊，我怎么可能充满智慧、英俊靓丽、才华横溢、魅力无限？

但事实上，你怎么不是这样的呢？

使自己渺小，并不能帮助世界。放低自己，让周围人有安全感，并不能启发别人。

我们都应该光艳照人，像所有孩子一样……
当我们允许自己发光时，我们也在不知不觉中允许他人发光。当我们从自己的恐惧中解放后，我们的存在也自动解放了他人。①

　　记得我的手做手术那天，安迪在术前问我："妈妈，你紧张吗？"我说我还是挺紧张的，随后给他们说了手术的过程："就是打上麻药，我睡一觉，医生做手术，我醒来时手术就完成了。"安迪想了想说："那你还紧张什么呀？你不就是去睡觉吗？是医生紧张才对啊！"我说："对啊，哈哈，我就是去睡觉啊，没什么可紧张的。一点儿不错！"

　　你看，在孩子的世界，"恐惧"本就不存在，而光一直都在。

　　回到本书的开头，那两个我永远不会认识的人——一个在兔子的头套里，一个在节日的口罩后面——为什么会让我感动，因为我看到了他们超越社会身份的那个"无限我"，它有着太阳的光芒。

　　所以，我在书的开头说，你打开这本书是有原因的。希望你现在知道原因是什么了。**本书虽然讲的是我的故事，但你的故事**

---

① M. WILLIAMSON. A Return to Love : Reflections on the Principles of " A Course in Miracles" [M]. NY : HarperOne, 1996. 译文为作者提供。

只可能更精彩。我的一个个"不敢"，对你来说肯定不陌生。人生说到底，是寻找真我之旅。这趟旅程除了面对，别无他路。你需要做的是允许自己点燃那根火柴，打开彩色的设置开关，和真我的能量源泉相连，让自己的生命光芒四射。

照亮自己，也照亮整个世界。

觉察练习 · **向光**

想象一下，当你要离开这个世界的时候，你希望自己的家人、朋友以何种方式和你道别呢？如果你有机会给自己写墓志铭，你希望上面写的是什么？

为了实现这个墓志铭，你在此时此刻可以有什么不同的选择？

有哪些不敢，可以开始面对？

扫描本书封底二维码关注"奴隶社会"公众号，在消息栏发送"**向光**"，即可收到我的更多分享。

面对

写这本书的过程很有意思。

一方面，写"过往"是回顾性的，不免会对"过往"有再加工、装点修饰的冲动。

另一方面，我这些年写了不少文章，似乎很容易拿写过的素材来"串"和"用"。

但我总觉得这样"写"，有什么地方不对。

所以从 2021 年春开始，我把第一稿扔进垃圾桶，打开一个空白的文档，从零开始。

在写作过程中，我回忆每一个场景，尽量对自己诚实，回到当时真实的感受。同时，我慢慢寻找，能把这一幕幕串起来的那根"线"是什么。

有意思的是，浮出来的那根线竟然是"不敢"，于是就有了这本书现在的样子。

是啊，不敢！

不敢开口，不敢做，不敢想，不敢要。

不敢不同，不敢改变，不敢发声，不敢做梦。

不敢爱人，不敢爱己，不敢接纳，不敢面对真相。

回顾人生，记得无比清晰的，竟然是这一个个不敢！

回顾这一个个场景，在当时似乎都合理，但每次面对它们时，我的内心都在灼烧，因为随之而来的是对自己的某种不满、不甘和遗憾。

我想这些故事对你也不陌生，从学校到职场，从养育到家庭，从重大决定到琐碎小事，如果我们细致地体会，内心总有不敢的影子。而"细致体会"总是困难的，因为要"诚实回到当时的场景"，说到底，是要面对最深处的真实自我和那些"不堪回首"的过往。

但人要成长，别无他路，只有面对。

我想这就是人生真相，我们要在一次次"真的做"和一次次"真的做不到"的过程中，才能"真的懂"。

2021 年年底，书完全成稿的时候，正值我妈妈七十岁生日。为了给妈妈准备礼物，我给了自己一个任务：回顾她的一生，如果只写一句话，是什么？

当时浮现在我脑海里的这句话是：

"在时光的缝隙里，那耀眼的光。"

我们其实都是在别人的故事里找寻自己。所以，希望这本书也能带给你许些勇气，让你打开一些缝隙，面对那些曾经和当下的"不敢"，**感受在时光的缝隙里，属于你自己的生命之光。**

———————

最后，我邀请你把看这本书的感受、想法、联想的故事和自我对话用你喜欢的方式记录下来。

欢迎你通过"奴隶社会"公众号留言给我们，也欢迎你加入诺言或全村社区，期待遇到向光而行的你。